Grammaire anglaise

Dans la série Librio Mémo

Conjugaison française, Librio n° 470
Grammaire française, Librio n° 534
Difficultés du français, Librio n° 642
Dictées pour progresser, Librio n° 653
Conjugaison anglaise, Librio n° 558
Le calcul, Librio n° 595
Vocabulaire anglais courant, Librio n° 643
Conjugaison espagnole, Librio n° 644
Solfège, Librio n° 602
Dictionnaire de rimes, Librio n° 671
Le français est un jeu, Librio n° 672
Figures de style, Librio n° 710
Mouvements littéraires, Librio n° 711
Grammaire espagnole, Librio n° 712
Latin pour débutants, Librio n° 713
Le dico de l'info, Librio n° 743
Formulaire de mathématiques, Librio n° 756
La cuisse de Jupiter, Librio n° 757
Maths pratiques, maths magiques, Librio n° 763
Le dico de la philo, Librio n° 767
Adolescence, mode d'emploi, Librio n° 768
La géométrie, Librio n° 771
Le mot juste, Librio n° 772
Chronologie universelle, Librio n° 773

Anne-Marie Bonnerot

Grammaire anglaise

Librio

Inédit

AVANT-PROPOS

Cet ouvrage a pour objectif d'offrir les réponses aux complexités de la « grammaire de base ».

Les termes utilisés sont simples et les encadrés récapitulatifs cernent l'essentiel des difficultés. De multiples exemples permettent d'illustrer les règles, d'enrichir son vocabulaire et d'acquérir des automatismes de langue.

La *Grammaire anglaise* est composée de dix-sept chapitres qui couvrent l'ensemble des points d'orthographe et de syntaxe :

- le fonctionnement des articles, noms, adjectifs et pronoms ;
- les adverbes et les prépositions,
- les différents types de phrase, le style indirect, les subordonnées.

Une approche claire et pédagogique permet de déjouer les pièges et de mettre en garde contre les erreurs les plus courantes.

Notons qu'un autre ouvrage du même auteur, également disponible chez Librio, vient compléter celui-ci. *Conjugaison anglaise* (Librio n° 558) aborde de manière synthétique les questions de temps, d'aspects, de modalité et d'auxiliaires liées aux verbes.

SOMMAIRE

I. LES ARTICLES

1) L'ARTICLE INDÉFINI A / AN *(UN, UNE)*

a) Règle

- a s'emploie devant les consonnes.
  Ex. : a girl / *une fille*, a cat / *un chat*, a university / *une université*.

  a s'emploie aussi devant les noms qui commencent par :
  - le son [j]
    Ex. : a uniform / *un uniforme*, a European man / *un Européen*, a year / *une année*.
  - ou encore le son [w]
    Ex. : a one-way ticket / *un aller simple*.

- an s'emploie devant les voyelles (sauf devant les noms qui commencent par les sons [j] et [w]).
  Ex. : an animal / *un animal*, an umbrella / *un parapluie*, an hour / *une heure*.

  an s'emploie aussi devant les noms qui commencent par un h muet.
  Ex. : an hour / *une heure*, an honest person / *une personne honnête*, an heir / *un(e) héritier(ière)*, an honour / *un honneur*.

b) Emploi

On emploie a / an

- devant les noms de métier au singulier.
  Ex. : His mother is a nurse. *Sa mère est infirmière.*

- dans les expressions de temps et de mesure.
  Ex. : She works eight hours a day.
  Elle travaille huit heures par jour.
  It's £7 a kilo. *C'est 7 livres le kilo.*

- après what et such dans les phrases exclamatives au singulier (cf. p. 67).
  Ex. : What a nice horse! *Quel joli cheval !*
  It's such a pity! *Quel dommage !*

⚠ Attention !

- Au pluriel a / an disparaît.
  Ex. : I've seen a stray cat in the street.
  J'ai vu un chat errant dans la rue.

I've seen stray cats in the street.
J'ai vu des chats errants dans la rue.

- Il ne faut jamais utiliser **a** / **an** devant un nom indénombrable (ex. : furniture, advice, information, news... cf. p. 14-15).
  Ex. : I've got good news.
  J'ai une bonne nouvelle / de bonnes nouvelles.

2) L'ARTICLE DÉFINI THE *(LE, LA, L', LES)*

L'article défini **the** est invariable en genre et en nombre. Il se prononce [ðə] devant les consonnes (ex. : the cat / *le chat*, the milk / *le lait*...) et [ði] devant les voyelles (ex. : the animal / *l'animal*, the umbrella / *le parapluie*...).

On emploie **the** :

- pour faire référence à quelque chose de spécifique, de déterminé.
  Ex. : The boy in black.
  Le garçon en noir. (Ce garçon-là en particulier)
  The apples she bought.
  Les pommes qu'elle a achetées. (Et pas d'autres)
- devant un nom désignant une notion ou une chose unique, ou que l'on souhaite désigner comme telle.

Ex. :		
	The sun	*Le soleil*
	The sea	*La mer*
	The universe	*L'univers*
	The president of the United States	*Le président des États-Unis*

- devant un adjectif représentant un ensemble de personnes.

Ex. :		
	The young	*Les jeunes*
	The blind	*Les aveugles*
	The Blacks	*Les Noirs*

- devant un nom de famille au pluriel, les noms de fleuves, de rivières, d'océans et de mers.

Ex. :		
	The Johnsons	*Les Johnson* (pas de « s » en français dans ce cas)
	The Duponts	*Les Dupont*
	The Thames	*La Tamise*
	The Atlantic ocean	*L'océan Atlantique*

⚠ Attention ! The n'est pas employé :

- dans les concepts généraux.
  Ex. : Time is money. — *Le temps, c'est de l'argent.*
- devant un titre suivi d'un nom propre ou d'un prénom.
  Ex. : Queen Elizabeth — *La reine Élisabeth*
  Duke Philipp — *Le duc Philippe*
- devant les noms de pays.
  Ex. : Italy — *L'Italie*
  France — *La France*
  India — *L'Inde*

Exceptions : The United States — *Les États-Unis*
The Soviet Union — *L'Union soviétique*
The Netherlands — *Les Pays-Bas*

3) L'ARTICLE ZÉRO Ø

Il existe en anglais une forme d'article qui ne se « voit » pas.
L'article zéro, représenté par ce symbole Ø, est courant en anglais et n'existe pas en français.
Cette « absence » d'article a toujours un sens.

Il y a absence d'article ou article zéro :

- pour parler des choses en général.
  Ex. : Cats like milk. — *Les chats aiment le lait.*
  Love is what we need. — *L'amour est ce dont nous avons besoin.*

Comparez :

Tigers are very dangerous animals. (article zéro)
Les tigres (catégorie générale) sont des animaux très dangereux.

The tigers I saw yesterday at the zoo were wonderful. (article défini the)
Les tigres que j'ai vus hier au zoo étaient magnifiques.

- pour exprimer l'idée du partitif *(du, de la, de l', des)*.
  Ex. : I drink milk and I eat cereals at breakfast.
  Je bois du lait et je mange des céréales au petit déjeuner.

II. LES NOMS

1) Le pluriel régulier

• Le pluriel régulier se forme en anglais en ajoutant un « s » qui se prononce [s], [z] ou [iz].
Ex. : cats [s] / *des chats*, games [z] / *des jeux*, buses [iz] / *des bus.*

⚠ Attention, le pluriel peut entraîner des variations d'orthographe.

Noms singuliers terminés en :	Pluriel
• consonne + -y Ex. : baby, country • -s, -z, -x, -ch, -sh Ex. : bus, buzz, box, church, brush • -o Ex. : tomato • certains noms terminés en -f, -fe Ex. : leaf, knife, calf	• -ies [iz] Ex. : babies, countries • -es [iz] Ex. : buses, buzzes, boxes, churches, brushes • -es [z] Ex. : tomatoes • -ves Ex. : leaves, knives, calves

• Dans les noms composés, c'est le deuxième élément qui prend le plus souvent le « s ».
Ex. : a traffic-jam / *un embouteillage* ; traffic-jams / *des embouteillages.*

2) Les pluriels irréguliers

Il n'existe qu'une dizaine de pluriels irréguliers en anglais. Il faut les apprendre par cœur.

A man / *un homme* — Men / *des hommes*
A woman / *une femme* — Women [wimin] / *des femmes*
A child [ai]/ *un enfant* — Children [tʃildrən] / *des enfants*
A foot / *un pied* — Feet / *des pieds*
A tooth / *une dent* — Teeth / *des dents*
A mouse [au] / *une souris* — Mice / *des souris*
A sheep / *un mouton* — Sheep / *des moutons*
A penny / *un penny* — Pence / *des pence*

3) Singuliers et pluriels particuliers

• Certains noms anglais n'existent qu'au pluriel et sont donc suivis d'un verbe au pluriel.
Ex. : My trousers **are** new. *Mon pantalon est neuf.*
Les noms les plus courants sont notamment les vêtements constitués de deux parties identiques : trousers / *pantalon,* shorts / *short,* jeans / *jean,* pyjamas / *pyjama.*

• D'autres noms n'existent aussi qu'au pluriel (et sont donc toujours suivis d'un verbe au pluriel) mais n'ont pas de « s » final.
Les plus courants sont : the police / *la police*, people / *les gens*, the cattle / *le bétail.*
Ex. : The police **have** arrested that dangerous thief.
La police a arrêté ce dangereux voleur.
People **are** strange. *Les gens sont étranges.*

• D'autres noms sont eux des singuliers malgré le « s » final. Ils sont donc suivis d'un verbe au singulier.
Seront suivis d'un verbe au singulier les noms de sciences terminés en "ics" (ex. : mathematics, economics...), le mot "news" et "the United States".
Ex. : The news **is** good. *Les nouvelles sont bonnes.*
Economics **is** an interesting science.
L'économie est une science intéressante.

• Les noms de groupe sont souvent suivis d'un verbe au pluriel :
the governement / *le gouvernement*, the audience / *le public*, the family / *la famille*, the crowd / *la foule*, the team / *l'équipe.*
Ex. : The team **are** confident. *L'équipe est confiante.*

4) Noms dénombrables et indénombrables

• **Les noms dénombrables** désignent ce que l'on peut compter.
Un nom dénombrable existe au singulier et au pluriel.
Ex. : a cat / *un chat* one, two, three cats... / *un, deux, trois chats...*

• **Les noms indénombrables** désignent ce que l'on ne peut pas compter.
Un nom indénombrable n'est jamais précédé de l'article a / an, et il est toujours accompagné d'un verbe au singulier.
Ex. : My hair **is** long and fair. / *Mes cheveux sont longs et blonds.*

⚠ Attention ! La perception anglaise et française de l'indénombrable n'est pas toujours la même. Certains noms sont indénombrables en anglais mais leurs équivalents français sont des dénombrables pluriels.

Sont **indénombrables** en anglais :
– **les noms de matériaux et d'aliments** : wool *(de la laine)*, bread *(du pain)*, tea *(du thé)*, milk (*du lait*), etc.
– **les noms renvoyant à une notion ou à un ensemble d'éléments.**
• **concrets** : furniture (*des meubles*), rubbish / refuse (*des détritus)*, luggage (*des bagages*), hair (*des cheveux*), fruit (*des fruits*), etc.
• **abstraits** : advice (*des conseils*), news (*des nouvelles*), information (*des renseignements*), progress (*des progrès*), evidence (*des preuves*), etc.

Pour un certain nombre d'entre eux, on peut obtenir un singulier à l'aide de « **a piece of** ».

Ex : News, *des nouvelles* — **a piece of** news, *une nouvelle.*
Advice, *des conseils* — **a piece of** advice, *un conseil.*

Les dictionnaires utilisent le signe (U) (uncountable, *indénombrable*) pour indiquer qu'un nom est indénombrable en anglais.
Certains noms peuvent être employés dans un sens indénombrable ou dans un sens dénombrable.

Ex. : There were **times** when... (**dénombrable pluriel**) *Il y eut des périodes où...*
Time is money. (**indénombrable**) *Le temps, c'est de l'argent.*

5) Le cas possessif

Le cas possessif, appelé aussi génitif saxon, sert à exprimer un rapport de possession ou d'appartenance entre deux éléments.

⚠ Attention ! En anglais, on place le « possesseur » en première position. Dans la plupart des cas, le premier élément, le « possesseur », est une personne ou un animal.

• « possesseur » singulier :

« possesseur » +'s + nom

Ex. :	
John's [s] house.	*La maison de John.*
My sister's [z] friends.	*Les amis de ma sœur.*
Mrs Moss's [z] son.	*Le fils de Mme Moss.*

- « possesseur » pluriel régulier :

« possesseurs » +' + nom

Ex : My parents' [s] garden. *Le jardin de mes parents.*
The boys' [z] bedroom. *La chambre des garçons.*
The horses' [iz] food. *La nourriture des chevaux.*

- « possesseur » pluriel irrégulier :

« possesseurs (pluriels irréguliers) » +'s + nom

Ex. : The children's [s] toys. *Les jouets des enfants.*

⚠ Attention ! Lorsque le possesseur est un prénom (ex. : John) ou un nom de famille au singulier (ex. : Mrs Moss), il n'est pas précédé de l'article défini « the ».
Ex. : John's / Mrs Moss's dog. *Le chien de John / Mme Moss.*

- Au cas possessif, on peut omettre le deuxième élément de la construction s'il a été mentionné précédemment.
Ex. : Whose book is it? It's Sam's.
À qui est ce livre ? C'est celui de Sam.

- Le cas possessif peut servir à traduire le français « *chez* ».
Ex. : She's going to Mr Won's and on the way she'll stop at the baker's.
Elle va chez M. Won et sur le chemin, elle s'arrêtera chez le boulanger.

- Le cas possessif est fréquent dans des expressions de temps ou de distances telles que :
today's paper, *le journal d'aujourd'hui*
a week's holiday, *une semaine de vacances*
last year's events, *les événements de l'année dernière*
a mile's walk, *une marche d'un kilomètre et demi*

ou encore, pour parler d'éléments du monde, de repères connus de tous tels que :
France's workers, *les travailleurs français*
London's underground, *le métro de Londres*
the world's population, *la population mondiale*
the government's policy, *la politique du gouvernement*

III. LES ADJECTIFS

1) LES ADJECTIFS QUALIFICATIFS

- L'adjectif qualificatif en anglais est **invariable** (il ne s'accorde pas en genre et en nombre avec le nom qu'il qualifie).
  Ex. : Three **big** cars. *Trois grosses voitures.*
- Il peut être épithète ou attribut, comme en français.

⚠ Attention ! En anglais, l'adjectif épithète se place **devant le nom** qu'il qualifie.
Ex. : She's got **blue** eyes. Elle a les yeux bleus.

- Quelques adjectifs en anglais ne s'emploient **qu'en position attribut**.
  Ex. : He is **asleep**. *Il est endormi.*

Les plus courants sont : **afraid** / *apeuré(e)*, **alive** / *vivant(e)*, **alone** / *seul(e)*, **asleep** / *endormi(e)*, **awake** / *réveillé(e)*.

- Lorsqu'il y a plusieurs adjectifs devant le nom, ils apparaissent dans un ordre hiérarchique bien établi qu'il faut connaître et respecter.
  Ex. :

A	**pretty**	**small**	**young**	**blonde**	**French**	actress.
	appréciation personnelle	*taille, forme, dimension*	*âge*	*couleur*	*nationalité, religion, marque*	

Une jeune et jolie petite actrice blonde française.

A **big old blue American** car.
Une grosse et vieille voiture bleue américaine.

- Il faut aussi noter et retenir que lorsqu'un nom est qualifié par plusieurs adjectifs, l'anglais n'utilise pas "and" *(« et »)*, sauf pour faire référence à différentes parties d'un tout.

Comparez :

She sometimes wears **horrible old red** trousers.
Elle porte parfois un pantalon rouge, vieux et moche.

A **black and white** scarf. *Une écharpe noir et blanc.*

2) Le comparatif et le superlatif

Quand on compare un élément à un autre, on utilise un comparatif. Quand on compare un élément à tous les autres, on utilise un superlatif.

a) Le comparatif

Il existe trois formes de comparatif.

- Le comparatif d'égalité : *aussi... que*
  L'adjectif est précédé et suivi de « as ».

as + adjectif + as

  Ex. : He is as tall as his father. *Il est aussi grand que son père.*

  She is not as tidy as you. *Elle n'est pas aussi ordonnée que toi.*

- Le comparatif de supériorité : *plus... que*
  Adjectifs d'une syllabe (ex. : tall, small, cold...) :

adjectif-er + than

  Ex. : I'm taller than you. *Je suis plus grand(e) que toi.*

  Adjectifs de deux syllabes terminés en -y, -er, -ow, -le (ex. : happy, funny, tidy, clever, narrow...) :

adjectif-er + than

  Ex. : She's happier than her sister.
  Elle est plus heureuse que sa sœur.
  Si l'adjectif se termine en -y, le -y se transforme en -i au comparatif de supériorité.

  Adjectifs de deux syllabes et plus (ex. : modern, expensive...) :

more + adjectif + than

  Ex. : He drives more carefully than his wife.
  Il conduit plus prudemment que sa femme.

On peut renforcer le comparatif de supériorité à l'aide de l'adverbe "much".

Ex. : I'm much taller than you. *Je suis bien plus grand(e) que toi.*

- Le comparatif d'infériorité : *moins... que*
  L'adjectif (quel que soit le nombre de syllabes) est précédé de « less » et suivi de « than ».

less + adjectif + than

  Ex. : His car is **less** fast **than** mine.
  Sa voiture est moins rapide que la mienne.

⚠ Attention ! Il existe des adjectifs et des adverbes qui possèdent un comparatif irrégulier.

Adjectifs et Adverbes de base irréguliers	Adjectifs et Adverbes irréguliers au comparatif
good, well *(bon, bien)*	better than *(meilleur que, mieux que)*
bad *(mauvais)*	worse than *(plus mauvais que)*
far *(loin)*	farther than, further than *(plus loin que)*
old *(vieux, âgé au sens d'aîné)*	elder *(plus vieux)*
much, many *(beaucoup)*	more *(plus)*
little *(peu)*	less *(moins)*

b) Le superlatif

Il existe deux formes de superlatif.

- Le superlatif de supériorité : *le plus...*
  Adjectifs d'une syllabe (ex. : tall, small, cold...) :

the + adjectif-est

  Ex. : Tom is **the** tall**est** boy in the class.
  Tom est le plus grand garçon de la classe.

Remarque : le complément est toujours introduit par la préposition **in** s'il s'agit d'un lieu et par la préposition **of** s'il s'agit d'un groupe.

Adjectifs de deux syllabes terminés en -y, -er, -ow, -le (ex. : happy, funny, tidy, clever, narrow...) :

the + adjectif-est

Ex. : She's **the** funni**est** girl I've ever met.
C'est la fille la plus drôle que j'aie jamais rencontrée.

Si l'adjectif se termine en -y, le -y se transforme en -i au superlatif.

Adjectifs de deux syllabes et plus (ex. : modern, expensive...) :

the + most + adjectif

Ex. : It's the most expensive restaurant in town.
C'est le restaurant le plus cher de la ville.

- Le superlatif d'infériorité : *le moins...*
L'adjectif (quel que soit le nombre de syllabes) est précédé de "the least" :

the least + adjectif

Ex. : This is the least interesting book I've ever read.
C'est le livre le moins intéressant que j'aie jamais lu.

⚠ Attention ! Il existe des adjectifs et des adverbes qui possèdent un superlatif irrégulier.

Adjectifs et Adverbes de base irréguliers	Adjectifs et Adverbes irréguliers au superlatif
good, well *(bon, bien)*	the best *(le meilleur, le mieux)*
bad *(mauvais)*	the worst *(le plus mauvais)*
far *(loin)*	the farthest, the furthest *(le plus loin)*
old *(vieux, âgé au sens d'aîné)*	the eldest *(le plus vieux, l'aîné)*
much, many *(beaucoup)*	the most *(le plus)*
little *(peu)*	the least *(le moins, le moindre)*

3) Le double comparatif

Pour exprimer une progression (« *de plus en plus..., de moins en moins...* »), on emploie le verbe "get" à la forme progressive et deux fois le comparatif.

Ex. : The weather is getting hotter and hotter.
Il fait de plus en plus chaud.

It is getting more and more interesting.
C'est de plus en plus intéressant.

It is getting less and less interesting.
C'est de moins en moins intéressant.

4) The + comparatif

- Pour exprimer une double progression, augmentation ou diminution proportionnelles (« *plus... plus..., moins... moins..., plus... moins, moins... plus* »), on emploie des **comparatifs introduits par "the"**.

  Ex. : **The more, the merrier.**
  Plus on est de fous, plus on rit.

  The less she talks, **the happier** I am.
  Moins elle parle, plus je suis heureux(se).

  The more I see you, **the more** I love you.
  Plus je te vois, plus je t'aime.

  The less I work, **the less** I want to work.
  Moins je travaille, moins j'ai envie de travailler.

- Lorsque la comparaison porte sur deux éléments, et deux seulement, la langue anglaise utilise un **comparatif de supériorité précédé de l'article the**.

  Ex. : He is **the younger** of the two. *Il est le plus jeune des deux.*
  Kate is **the taller** of the twins. *Kate est la plus grande des jumelles.*

5) Les adjectifs et les noms composés

a) Les adjectifs composés

Un adjectif composé peut se former à partir de plusieurs éléments : nom, adverbe, adjectif, participe passé, participe en -ing. Comme les adjectifs simples, les adjectifs composés sont invariables et se placent devant le nom lorsqu'ils sont épithètes (cf. p. 17). Ils sont très fréquents en anglais. En voici quelques exemples.

Nom + participe passé man + made Ex. : It's a man-made lake.	*C'est un lac artificiel.*
adjectif + participe en -ing strange + looking Ex. : He's a stange-looking man.	*Cet homme a une allure étrange.*
Adverbe + participe en -ing never + ending Ex. : It could be a never-ending story.	*Ce pourrait être une histoire sans fin.*

adjectif + adjectif bitter + sweet Ex. : It was a bitter-sweet speech.	*Ce fut un discours aigre-doux.*
adjectif + nom + -ed dark + hair + -ed Ex. : This is a dark-haired boy.	*C'est un garçon aux cheveux bruns.*

b) Les noms composés

Les noms composés sont très courants en anglais.

⚠ Attention ! Le mot principal est placé en dernière position. Le mot qui le précède en précise le sens, à la façon d'un adjectif épithète.
Ex. : A **business trip**. *Un voyage d'affaires.*

En règle générale, au pluriel, c'est le nom porteur du sens principal qui prend la marque du pluriel.
Ex. : **Business trips**. *Des voyages d'affaires.*

- Il faut faire attention à l'ordre des mots.

Comparez :

I'm fond of **horse races**. *J'adore les courses de chevaux.*
I'm fond of **race horses**. *J'adore les chevaux de course.*

- Un nom utilisé comme adjectif se met normalement au singulier, même s'il a un sens pluriel.
  Ex : A **photo** exhibition. *Une exposition de photos.*
  A **dog** trainer. *Un dresseur de chiens.*

- Certains noms composés s'écrivent avec un trait d'union et d'autres en un seul mot. Il n'y a pas de règle générale. Dans tous les cas, il faudra se référer au dictionnaire.
  Ex. : A dining-room. *Une salle à manger.*
  A toothbrush. *Une brosse à dents.*

6) Les adjectifs nominalisés

En général, on ne peut pas utiliser en anglais un adjectif qualificatif seul en tant que nom.
Ex. : *Le pauvre !* Poor man!
Un mort. A dead man.

Cependant, il faut noter quelques exceptions :

- Pour désigner une catégorie de personnes, certains adjectifs peuvent être transformés en nom.

Dans ce cas, ils sont **précédés de l'article "the"** (jamais de "a / an") et ils sont, **en général, au singulier** (sans « s ») **mais suivis d'un verbe au pluriel.**

Ex. : **The homeless are** more and more numerous in this district.
Il y a de plus en plus de sans-abri dans ce quartier.

Un très petit nombre d'adjectifs nominalisés prend la marque du pluriel (un « s » final). En voici quelques exemples courants :

The Whites, *les Blancs*
The Blacks, *les Noirs*
The twenty-year-olds, *les jeunes de vingt ans.*

- Les cas où un adjectif peut être utilisé comme un nom sont rares. Voici la liste des adjectifs nominalisés les plus courants :

Catégories de personnes :

- the young, *les jeunes*
- the old, *les vieux*
- the rich, *les riches*
- the poor, *les pauvres*
- the healthy, *les riches, les gens aisés*
- the blind, *les aveugles*
- the handicapped, *les handicapés*
- the hungry, *ceux qui n'ont pas de quoi se nourrir*
- the innocent, *les innocents*
- the guilty, *les coupables*
- the unemployed, *les chômeurs*
- the homeless, *les sans-abri*
- the dead, *les morts*
- the sick, *les malades*

Nationalités en -sh, -ch, -ese (cf. p. 25) :

- the British *(les Britanniques)*, the English *(les Anglais)*, the Irish *(les Irlandais)*, the Welsh *(les Gallois)*, the Spanish *(les Espagnols)*...
- the French *(les Français)*, the Dutch *(les Hollandais)*...
- the Portuguese *(les Portugais)*, the Japanese *(les Japonais)*, the Chinese *(les Chinois)*...

⚠ Attention ! Les nationalités en **-an** prennent un « s ».
Ex. : The Americans *Les Américains*

- Il est également possible (surtout dans un style littéraire ou philosophique) d'utiliser « the » devant certains adjectifs pour leur donner un sens absolu.

  Ex. : The good, *le bien*
  The unknown, *l'inconnu*
  To distinguish the true from the false, *distinguer le vrai du faux*

7) Les adjectifs et noms de nationalité

On emploie deux mots pour parler des nationalités :

– un adjectif
  Ex. : Scottish / *écossais(e)*, French / *français(e)*, Greek / *grec(que)...*

– un nom
  Ex. : a Scot / *un(e) Écossais(e)*, a Frenchman, a Frenchwoman / *un(e) Français(e)*, a Greek / *un(e) Grec(que)...*

Dans tous les cas, il faut retenir que tous les mots qui se rapportent à la nationalité s'écrivent avec une majuscule en anglais.

Voici quelques exemples :

Pays	Adjectifs	Noms
Algeria	Algerian	an Algerian
Belgium	Belgian	a Belgian
Brazil	Brazilian	a Brazilian
Britain	British	a British / a Britisher (US)
China	Chinese	a Chinese
Czechoslovakia	Czech	a Czech
Denmark	Danish	a Dane
England	English	an Englishman, an Englishwoman
Finland	Finnish	a Finn
France	French	a Frenchman, a Frenchwoman
Germany	German	a German
Greece	Greek	a Greek
Holland	Dutch	a Dutchman, a Dutchwoman
Hungary	Hungarian	a Hungarian
Iran	Iranian	an Iranian
Ireland	Irish	an Irishman, an Irishwoman
Israel	Israeli	an Israeli
Japan	Japanese	a Japanese
Mexico	Mexican	a Mexican
Morocco	Moroccan	a Moroccan

Norway	Norwegian	a Norwegian
Poland	Polish	a Pole
Portugal	Portuguese	a Portuguese
Russia	Russian	a Russian
Scotland	Scottish / Scotch	a Scot
Spain	Spanish	a Spaniard
Sweden	Swedish	a Swede
Switzerland	Swiss	a Swiss
Tunisia	Tunisian	a Tunisian
Turkey	Turkish	a Turk
The USA	American	an American
Vietnam	Vietnamese	a Vietnamese
Wales	Welsh	a Welshman, a Welshwoman

Remarque :

- Pour parler de la nation en général, on emploie normalement « the + le pluriel du nom ».
  Ex. : The Germans / *les Allemands,* the Greeks / *les Grecs...*

⚠ Attention ! Pour les nationalités en -sh, -ch, -ese, on emploie "the + l'adjectif (sans 's')".
  Ex. : The English / *les Anglais,* the French / *les Français...*
Notez aussi l'exception : the Swiss / *les Suisses*

- "Arab" s'emploie souvent comme adjectif dans un contexte politique ; "Arabic" s'emploie pour parler de la langue ou de la culture arabe.
- L'adjectif seul s'emploie pour désigner la nationalité et la langue.
  Ex. : English, *anglais(e) / l'anglais ;* French, *français(e) / le français...*

IV. LES PRONOMS

1) LES PRONOMS PERSONNELS SUJET ET COMPLÉMENT

Les pronoms personnels servent à remplacer un nom ou un groupe de noms. Ils peuvent être **sujet ou complément d'un verbe.**

Ex. : She (sujet) likes me (complément). *Elle m'aime bien.*

	Pron. Pers. Sujet	Pron. Pers. Complément
1re pers. singulier	I, *je*	me, *moi*
2e pers. singulier	you, *tu*	you, *toi*
3e pers. singulier	he, *il* ; she, *elle* ; it *(neutre)*	him, *lui* ; her, *elle* ; it *(neutre)*
1re pers. pluriel	we, *nous*	us, *nous*
2e pers. pluriel	you, *vous*	you, *vous*
3e pers. pluriel	they, *ils / elles*	them, *eux / elles*

- En anglais, le pronom personnel complément se place toujours après le verbe.

  Ex. : Did you buy the presents? Yes, I bought **them** this morning.
  As-tu acheté les cadeaux ? Oui, je **les** *ai achetés ce matin.*

- En anglais, les animaux (les nourrissons dont on ignore le sexe) et les choses sont considérés comme neutres. C'est pourquoi on utilise le pronom neutre "it" pour s'y référer.

  Ex. : Where's the cat? **It**'s in the garden.
  Où est le chat ? Il est dans le jardin.

  How much is this pullover? **It**'s £ 25.
  Combien coûte ce pull ? Il coûte 25 livres.

- On peut toutefois utiliser :

– "he" ou "she" pour les animaux que l'on connaît et que l'on aime.

  Ex. : Where's your cat? **He**'s sleeping under the bed.
  Où est ton chat ? Il dort sous le lit.

– "she" pour les bateaux, voitures ou motos auxquels on est très attaché.

  Ex. : Look at my new car! Isn't **she** marvellous?
  Regarde ma nouvelle voiture ! N'est-elle pas magnifique ?

⚠ Attention ! Le « on » français n'existe pas en anglais. Pour le traduire, on utilisera selon les circonstances "it", "you", "we", "they", "one", "people" ou une construction passive (cf. p. 68-71).

Ex. : It is said that French food is good. (généralisation)
People say that French food is good. (généralisation)
On dit que la cuisine française est bonne.

In France, **we** like wine.
En France, ***on*** *aime le vin.* (celui qui parle est français, vit en France ou s'assimile aux Français)
In France, **they** like wine.
En France, ***on*** *aime le vin.* (celui qui parle n'est pas français ou veut se dissocier du peuple français)

One can't make an omelette without breaking eggs. (une vérité, style soigné)
You can't make an omelette without breaking eggs. (une vérité, style plus familier)
On *ne fait pas d'omelette sans casser des œufs.*

2) Les pronoms réfléchis

Ex. : to enjoy **oneself**, *s'amuser.*

	Pronoms réfléchis	**Exemples**
1re pers. singulier	myself, *moi-même*	Ex. : I enjoy myself, *je m'amuse*
2e pers. singulier	yourself, *toi-même*	Ex. : You enjoy yourself, *tu t'amuses*
3e pers. singulier	himself (m), *lui-même* herself (f), *elle-même* itself (n), *soi-même*	Ex. : He enjoys himself, *il s'amuse* She enjoys herself, *elle s'amuse* It enjoys itself, *il s'amuse*
1re pers. pluriel	ourselves, *nous-mêmes*	Ex. : We enjoy ourselves, *nous nous amusons*
2e pers. pluriel	yourselves, *vous mêmes*	Ex. : You enjoy yourselves, *vous vous amusez*
3e pers. pluriel	themselves, *eux / elles-mêmes*	Ex. : They enjoy themselves, *ils / elles s'amusent*

• Un pronom réfléchi renvoie au sujet, il le « réfléchit ».
  Ex. : She looked at **herself** in the mirror. (le sujet et l'objet sont la même personne)
  Elle se regarda dans la glace.

• Le pronom réfléchi peut permettre d'insister sur une personne ou un objet.
  Ex. : Do it **yourself!** *Fais-le toi-même ! (Faites-le vous-même !)*

• Les verbes réfléchis en français (ex. : se laver, se raser, etc.) ne le sont pas nécessairement en anglais. L'usage des pronoms réfléchis est **moins répandu en anglais** qu'en français.
  Ex. : I got dressed. *Je me suis habillé(e).*
  (to get dressed : *s'habiller,* verbe pronominal en français)
Autres exemples :
  to hurry up : *se dépêcher,* to shave : *se raser,* to have fun : *s'amuser, etc.*

• Après "by", le pronom réfléchi signifie « tout(e) seul(e) ».
  Ex. : He stayed **by himself**. *Il resta tout seul.*

3) LES PRONOMS RÉCIPROQUES

On emploie les pronoms réciproques, **"each other"** et **"one another"**, pour exprimer l'idée d'un échange entre deux ou plusieurs personnes. Ils renvoient à l'autre ou aux autres.
  Ex. : They never write to **each other**.
  Ils ne s'écrivent jamais (l'un à l'autre).
Il ne faut pas confondre les pronoms réciproques avec les pronoms réfléchis qui, eux, renvoient à soi-même.

En principe, « **each other** » s'emploie pour **deux personnes** et « **one another** » pour **plus de deux personnes.**
  Ex. : They are looking at **each other / one another.**
  Ils se regardent l'un l'autre / les uns les autres.

Les anglophones ne respectent pas toujours cette distinction. Les deux formes sont souvent utilisées indifféremment.

4) Le pronom de remplacement "one / ones"

Pour éviter la répétition d'un nom dans une phrase, on utilise souvent le pronom de remplacement "**one**".

- Pour reprendre un nom singulier, on utilise "one" ; pour reprendre un nom pluriel, on utilise "ones".

Ex. : I'd like to have a car. I'll buy **one** as soon as I can.
J'aimerais avoir une voiture. J'en achèterai une dès que je le pourrai.

These shoes are too small. Have you got bigger **ones**?
Ces chaussures sont trop petites. En avez-vous (as-tu) de plus grandes ?

- Avec un adjectif, on utilise

– au singulier "a / the + adjectif + one" :
Ex. : Which scarf do you want? **The blue one or the red one?** (et non The blue or the red?)
Quelle écharpe veux-tu (voulez-vous) ? La bleue ou la rouge ?

– au pluriel "Ø* / the + adjectif + ones" :
Ex. : I've got so many scarves, **Ø blue ones, Ø red ones...**
J'ai tellement d'écharpes, des bleues, des rouges...

* Ø est l'article zéro ; il signale l'absence de tout article (cf. p. 12).

5) Le pronom personnel indéfini "one"

- L'usage du pronom personnel indéfini « **one** » est réservé à des constatations d'ordre général ou moral.

Ex. : **One** should never lie. — *On ne devrait jamais mentir.*
One never knows. — *On ne sait jamais.*

- Ce pronom personnel a une forme réfléchie, "**oneself**", et une forme au génitif, "**one's**".

Ex. : Learning Chinese by **oneself** is no easy task.
Apprendre le chinois tout seul n'est pas une tâche facile.

It's a pleasure not a duty to help **one's** friends.
C'est un plaisir plus qu'un devoir d'aider ses amis.

6) Les adjectifs et pronoms possessifs

Adjectifs possessifs	Pronoms possessifs
my / *mon, ma, mes*	mine / *le mien, la mienne, les miens, les miennes*
your / *ton, ta, tes*	yours / *le tien, la tienne, les tiens, les tiennes*
his / *son, sa, ses* (possesseur masculin)	his / *le sien, la sienne, les siens, les siennes*
her / *son, sa, ses* (possesseur féminin)	hers / *le sien, la sienne, les siens, les siennes*
its / *son, sa, ses* (possesseur neutre)	n'existe pas, on emploie its own
our / *notre, nos*	ours / *le nôtre, la nôtre, les nôtres*
your / *votre, vos*	yours / *le vôtre, la vôtre, les vôtres*
their / *leur, leurs*	theirs / *le leur, la leur, les leurs*

⚠ Attention ! Si la langue française accorde l'adjectif et le pronom possessif avec ce qui est possédé, l'anglais les accorde avec le possesseur. Attention en particulier à la troisième personne du singulier.

Ex. : possesseur masculin
Marc came with his car. *Marc est venu avec sa voiture.*
It's his, not his father's. *C'est la sienne, pas celle de son père.*

possesseur féminin
Sue came with her car. *Sue est venue avec sa voiture.*
It's hers, not her father's. *C'est la sienne, pas celle de son père.*

possesseur neutre
That's a nice pullover. *C'est un beau pull-over.*
I like its colour and shape. *J'aime bien sa couleur et sa forme.*

7) Les adjectifs et pronoms démonstratifs

En anglais, les démonstratifs s'accordent uniquement en nombre.
This (pluriel : these) et that (pluriel : those) servent à désigner un objet ou une personne. Ils sont adjectifs ou pronoms.

- This (pluriel : these) désigne un objet qui appartient à la situation présente (d'où l'idée de « proximité » à laquelle on a coutume d'associer « this »).

  Ex. : This is our neighbour.
  Voici notre voisin. (le voisin est devant celui qui parle)

On emploie **this** (**these au pluriel**) pour un objet dont on parle pour la première fois.

Ex. : Look at this!
Regarde ça ! (l'interlocuteur n'est pas censé avoir remarqué l'objet en question)

- **That** (**pluriel those**) est utilisé pour tout objet ou fait qui n'est pas dans la situation présente (d'où l'idée d'« éloignement » à laquelle on a coutume d'associer "that").

Comparez :

Things were much easier **in those days.**
Les choses étaient bien plus faciles **en ce temps-là.** (passé)

Things are much easier **these days.**
Les choses sont bien plus faciles de nos jours. (présent)

On emploie **that** (**those au pluriel**) lorsque celui auquel on s'adresse sait de quel objet il s'agit.

Ex. : Yes, that's great. *Oui, c'est super.*

- Dans la mesure où « that » peut exprimer une idée d'éloignement, il prend parfois une valeur de **jugement** (souvent négatif).

Ex. : Look at **that**!
Regarde-moi ça ! (le ton peut exprimer le dégoût, le mépris, le reproche...)

Look at **those** awful paintings!
Regarde ces horribles tableaux !

- **This** et **that** peuvent être suivis de **one.** (**These** et **those** le sont rarement.)

Ex. : *Do you want this shirt? No, I prefer* **that one.**
Veux-tu cette chemise ? Non, je préfère celle-là.

Do you want these photos? No, I prefer those.
Veux-tu ces photos ? Non, je préfère celles-là.

8) Les pronoms relatifs

- Dans la langue parlée, les pronoms relatifs sont moins courants en anglais qu'en français. Chaque fois que c'est possible, l'anglais préfère deux phrases courtes à une phrase longue avec une subordonnée.

Ex. : This child often cries at night. I can hear him.
J'entends souvent cet enfant pleurer la nuit.

- Les pronoms relatifs, comme leur nom l'indique, introduisent une proposition subordonnée relative. Ils peuvent être **soit sujet soit complément** du verbe de cette subordonnée.

Pronom relatif **sujet** de la subordonnée :
The man **who** is here is my brother.
L'homme ***qui*** *est là est mon frère.*

Pronom relatif **complément** de la subordonnée :
The man (**that**) you can see is my brother.
L'homme ***que*** *tu vois est mon frère.*

- En anglais, dans la langue parlée, et même dans la langue écrite lorsque celle-ci n'est pas trop formelle, **le pronom relatif complément est souvent omis**. Il est en fait sous-entendu. On parle parfois dans ce cas du relatif zéro, symbolisé par Ø.

⚠ Attention ! Lorsque le pronom relatif est sujet, il ne peut être omis.
Ex. : She is the woman Ø you wrote to*.
C'est la femme à qui tu as écrit.

The last book Ø I read was fascinating.
Le dernier livre que j'ai lu était fascinant.

* Notez que lorsque le pronom est sous-entendu et que le verbe comprend une préposition, celle-ci est rejetée après le verbe et son complément (to write **to** someone : *écrire à quelqu'un*).

Dans un anglais plus formel, on écrira :

She is the woman **to whom** you wrote. (pronom complément)
The last book **that** I read was fascinating. (pronom complément)

- Enfin, il faut savoir qu'il existe **deux types de relatives : les relatives déterminatives ou restrictives et les relatives non déterminatives.**

Relatives 1 :
Les relatives déterminatives ou restrictives sont indispensables à la phrase. Elles ont un sens restrictif, limitatif. Elles délimitent le sens de l'antécédent, qui ne peut pas en être séparé par une virgule.
Ex. : I haven't read the book **that he mentioned.**
Je n'ai pas lu le livre dont il a parlé.

Relatives 2 :
Les relatives non déterminatives apportent des précisions « accessoires » et peuvent être supprimées sans que l'équilibre de la phrase en souffre. C'est pourquoi elles sont placées entre virgules (ou encore entre tirets ou entre parenthèses).

Ex. : His last films, **which were shot in Europe,** were a great success.
Ses derniers films, qui furent tournés en Europe, ont eu un grand succès.

Ces relatives sont beaucoup moins fréquentes que les premières. Elles ne seront mentionnées dans le tableau ci-dessous que s'il y a un changement de pronom par rapport aux relatives 1.

• Choix du pronom relatif

Pour choisir un pronom relatif, il faut repérer le nom qu'il remplace et qui le précède (son antécédent). Il faut aussi déterminer sa fonction dans la phrase.

Fonction du relatif dans la subordonnée	Antécédent animé	Antécédent inanimé
Sujet	who The girl who lives next door.	which ou that The car which / that we want to buy.
Complément	Omis le plus souvent sinon whom* ou that The man I love. The man whom I love. The man that I love. The man I talked to**.	Omis le plus souvent sinon which ou that The car we want. The car which we want. The car that we want. The car we looked at**.
Génitif	whose The boy whose name is John.	whose ou rarement of which The house whose door is blue. The house the door of which is blue.
Adverbial (lieu, temps, cause)	I know (the place) where you live. I remember (the time) when we visited London. I know (the reason) why you came.	

* whom a tendance à disparaître
** Dans ces constructions, n'oubliez pas de laisser la préposition à côté de son verbe.

IV. Les pronoms

a) Le pronom relatif est sujet

⚠ Attention ! Le pronom relatif sujet ne peut jamais être omis.

- pour un humain : WHO
  Ex. : The girl who is there is my sister. *La fille qui est là est ma sœur.*
- pour un non-humain : WHICH ou THAT
  Ex. : Give me the bottle which / that is on the table.
  Donne-moi la bouteille qui est sur la table.

⚠ Attention ! Dans les relatives 2 (cf. p. 33), on ne trouvera pas le pronom "that".

Ex. : His last films, which were shot in Europe, were a great success. (pronom sujet)
Ses derniers films, qui furent tournés en Europe, ont eu un grand succès.

Mr Smith, who is sitting there, is a doctor. (pronom sujet)
M. Smith, qui est assis là-bas, est médecin.

b) Le pronom est complément : Ø (omission du relatif) ou THAT

Lorsque le pronom relatif est complément, on peut utiliser "that" quel que soit l'antécédent mais il est omis le plus souvent.

Ex. : This is the man (that) she loves.
C'est l'homme qu'elle aime.

I liked the meat (that) we had for lunch.
J'ai bien aimé la viande que nous avons mangée au déjeuner.

On peut aussi utiliser "whom" si l'antécédent est animé, "which" si l'antécédent est inanimé.

Ex. : This is the man whom she loves. (antécédent animé, pronom objet)
I liked the meat which we had for lunch. (antécédent inanimé, pronom objet)

⚠ Attention ! Dans les relatives 2 (cf. p. 33), on emploiera obligatoirement "whom" pour un humain, "which" pour un non-humain (jamais "that").

Ex. : Mr Smith, whom you met at the conference, is a doctor. (pronom objet)
M. Smith, que tu as rencontré à la conférence, est médecin.

This car, **which** you fancy so much, is far too expensive. (pronom objet)
Cette voiture qui te (vous) plaît tant est beaucoup trop chère.

c) Traduction de « ce que / ce qui » : WHAT et WHICH

WHAT annonce quelque chose qui va être précisé.
Ex. : I didn't understand **what** he said.
Je n'ai pas compris ce qu'il a dit.
What I like best is music.
Ce que je préfère, c'est la musique.

WHICH reprend ce qui a déjà été énoncé.
Ex. : It didn't rain at all, **which** surprised me.
Il n'a pas du tout plu, ce qui m'a surpris(e).
She was a famous singer, **which** I didn't know.
C'était une chanteuse célèbre, ce que j'ignorais.

⚠ Attention ! N'oubliez pas la virgule avant "which", qui est obligatoire entre les deux propositions.

d) Traductions de « DONT »

On traduit « *dont* » par **"whose"** en anglais (pronom relatif, complément du nom) si l'antécédent est animé et même parfois s'il est inanimé, car les constructions avec **"of which"** sont rares.
Ex. : This is the boy **whose** sister is our neighbour.
C'est le garçon dont la sœur est notre voisine.
Is this the house **whose** windows were broken?
Is this the house the windows **of which** were broken?
Est-ce la maison dont les fenêtres ont été cassées ?

⚠ Attention ! On ne traduit « *dont* » par « whose » et « of which » que lorsque le pronom exprime la possession. Or, « *dont* » apparaît en français chaque fois que le verbe est suivi de la préposition « *de* » et il n'est pas toujours question de possession.
Ex. : *L'homme dont tu parlais est mort.*
The man you were talking about is dead.

Dans ce cas, s'il y a préposition en anglais (ex. : about), on la maintient à droite du verbe et on n'utilise pas de pronom relatif.

e) Traductions de « Où »

Lieu : WHERE

Ex. : Paris is the city **where** I was born.
Paris est la ville **où** *je suis né(e).*

Temps : WHEN

Ex. : I'll always remember the day **when** I saw him.
Je me souviendrai toujours du jour **où** *je l'ai vu.*

f) Whatever / Whoever / Wherever / Whenever

Ces mots sont formés à partir de relatifs (what, who, where, when) et de -ever qui ajoute à chacun des relatifs l'idée de quelconque.

whatever	*quoi que ce soit qui...* *quoi que ce soit que...*	Whatever happens, don't panick! Whatever she thinks, she's wrong!	*Quoi qu'il arrive, ne panique pas !* *Quelle que soit sa pensée, elle a tort !*
whoever	*qui que ce soit qui...* *qui que ce soit que...*	Whoever calls her, she mustn't go out. Whoever you meet, don't stop!	*Quiconque l'appelle, elle ne doit pas sortir.* *Qui que ce soit que tu rencontres, ne t'arrête pas !*
wherever	*où que ce soit que...*	Wherever you go, I'll follow you.	*Je te suivrai où que tu ailles.*
whenever	*à quelque moment que ce soit que...*	You can leave whenever you like!	*Tu peux partir quand tu le veux.*

9) Les pronoms, adjectifs et adverbes interrogatifs

Lorsqu'une question ne commence pas par un auxiliaire (cf. p. 63-65), elle est introduite par un terme interrogatif qui peut être, selon le cas, pronom, adjectif ou adverbe. Les principaux sont les suivants :

a) Les pronoms interrogatifs

- WHO / WHOM, *qui*

Ex. : Who are you? — *Qui êtes-vous (es-tu) ?*
For whom does the bell ring? — *Pour qui sonne le glas ?*

- WHOSE, *à qui, de qui*

Ex. : I found a T-shirt that isn't mine. **Whose** is it?
J'ai trouvé un T-shirt qui n'est pas à moi. À qui est-il ?

- WHAT, *que*

Ex. : What is it? *Qu'est-ce que c'est ?*

- WHICH, *lequel, laquelle*

Ex. : There are two glasses. **Which** is mine?
Il y a deux verres. Lequel est le mien ?

Note : Seuls who et whom sont uniquement pronoms, whose, what et which étant aussi adjectifs.

b) Les adjectifs interrogatifs

- WHAT, *quel(le), quels(les)*

Ex. : What floor did she say? *Quel étage a-t-elle dit ?*

- WHICH, *quel(le), quels(les)*

Ex. : Which pullover do you choose?
Quel pull-over choisissez-vous (choisis-tu) ?

- WHOSE, *à qui, de qui*

Ex. : Whose book is it? *À qui est ce livre ?*

c) Les adverbes interrogatifs

- WHY, *pourquoi*

Ex. : Why didn't you call me sooner?
Pourquoi ne m'as-tu (m'avez-vous) pas appelé(e) plus tôt ?

- WHEN, *quand*

Ex. : When is his birthday? *Quand est son anniversaire ?*

- WHERE, *où*

Ex. : Where are you going? *Où vas-tu (allez-vous) ?*

- HOW, *comment*

Ex. : How can I tell him the truth?
Comment puis-je lui dire la vérité ?

⚠ Attention !

- "How are you?, How is he?, etc." signifie « *Comment allez-vous / vas-tu ?, Comment va-t-il ?, etc.* ».

« À quoi ressemblez-vous / ressembles-tu ?, À quoi ressemble-t-il ? etc. » se traduit par "What do you look like? / What are you like?, What does he look like? / What is he like?, etc.".

- Ne pas confondre "How are you?" avec "How do you do?" qui est une formule de pure politesse à laquelle on ne répond pas littéralement mais simplement en répétant "How do you do?". En revanche, "How are you?" appelle une réponse du type "I'm fine, thank you."
- Pour dire *« Comment s'appelle... ? / Comment appelle-t-on.... ? »*, on emploie What et non How : "What do you call... ?"

HOW peut se combiner avec différents éléments.
Exemples : How much, How many, How old, etc. (cf. p. 64-65).

V. LES QUANTIFICATEURS INDÉFINIS

1) Some et any

Some et any expriment l'idée d'une certaine quantité ou d'un certain nombre, sans autre précision. Ils signifient « *quelque* » et sont souvent employés dans le sens des articles partitifs français, « *du, de la, de l', de, des* ».
Partitif : qui désigne une quantité d'un tout indénombrable (pour la notion d'indénombrable, voir p. 14-15).
Ex. : I need **some** fresh air. *J'ai besoin d'air frais.*
He doesn't have **any** real friends. *Il n'a pas de vrais amis.*

Si **some** et **any** ont le même sens, ils ne s'emploient pas de la même façon. **Not... any** peut être remplacé par **no**. Le verbe est alors à la forme affirmative.

Phrases affirmatives	Toujours **some**	Ex. : **Some** drivers are dangerous. *Il y a des conducteurs dangereux.* I need **some** help. *J'ai besoin d'aide.*
Phrases négatives	**not... any***	Ex. : He won't give you **any** help. *Il ne (vous) l'aidera pas.* There aren't **any** eggs in the fridge. *Il n'y a pas d'œufs dans le frigo.*
Phrases interrogatives	**some** ou **any**	On propose ou on souhaite une certaine quantité. Ex. : Would you like **some** wine? *Voulez-vous (Veux-tu) du vin ?* Can I have **some** milk, please? *Est-ce que je peux avoir du lait, s'il vous (te) plaît ?* On veut simplement se renseigner sur l'existence d'une quantité : « Est-ce qu'il y en a ? » Ex. : Is there **any** milk? *Est-ce qu'il y a du lait ?* Have you got **any** children? *Avez-vous (As-tu) des enfants ?*

Ex. : There aren't any eggs in the fridge = There are no eggs in the fridge.

None signifie « *aucun, aucune* » et s'utilise comme pronom (contrairement à "no" qui ne s'utilise que comme adjectif).

Ex. : How many gifts did you get? – **None!**
Combien de cadeaux as-tu (avez-vous) eus ? – Aucun !

- **Some, any** et **no** peuvent être suivis de **more.**

Ex. : Can I have **some more** milk, please?
Puis-je avoir plus de lait / encore du lait, s'il vous (te) plaît ?

He won't give you **any more** help. *Il ne (vous) t'aidera plus.*
I have **no more** money. *Je n'ai plus d'argent.*

- Lorsque **any** est utilisé dans une phrase affirmative, il a le sens de « *n'importe lequel (laquelle)* ».

Ex. : Take **any** train but come!
Prends n'importe quel train mais viens !

- Il ne faut pas utiliser **some** quand il s'agit de la nature de ce que l'on veut et non de la quantité.

Comparez :

I'd like tea, not coffee. *J'aimerais du thé, pas du café.*

I'd like some tea. *J'aimerais du thé.* (Je sais qu'il y a du thé et j'en voudrais un peu.)

2) Les composés de some, any et no

a) Chose indéfinie : **something** *(quelque chose)*, **anything** *(quelque chose)*, **nothing** *(rien)*

b) Personne indéfinie : **somebody / someone** *(quelqu'un)*, **anybody / anyone** *(quelqu'un)*, **nobody / no one** *(personne)*

c) Lieu indéfini : **somewhere** *(quelque part)*, **anywhere** *(quelque part)*, **nowhere** *(nulle part)*

- Les règles d'emploi de ces formes dans les phrases affirmatives, négatives et interrogatives sont les mêmes que pour **some, any,** et **no** (cf. tableau p. 39).

- Les composés de **some**, **any** et **no** peuvent être suivis de l'adverbe **else** qui a le sens de « *autre* ».
  Ex. : There was **someone else** in the room.
  Il y avait quelqu'un d'autre dans la pièce.
  Is there **anybody else**? *Y a-t-il quelqu'un d'autre ?*
  Nothing else to say? *Rien (d'autre) à ajouter ?*

- **Anything, anybody / anyone, anywhere** dans les phrases **affirmatives** ont le sens de « *n'importe quoi* », « *n'importe qui* », « *n'importe où* ».
  Ex. : I'll do **anything** for you. *Je ferai n'importe quoi pour toi (vous).*

3) De « beaucoup » à... « trop »

⚠ Attention ! Voici d'autres quantificateurs indéfinis. Il est indispensable de connaître leur compatibilité ou leur incompatibilité avec les noms dénombrables et indénombrables (pour la notion de dénombrable et d'indénombrable, voir p. 14-15).

a) Beaucoup...

Pour signifier qu'une chose existe en grand nombre ou en grande quantité, on emploie :

- MUCH + indénombrable
  Ex. : Has he got **much** money? *Est-ce qu'il a beaucoup d'argent ?*

On peut remplacer « much » par **"a lot of"**
  Ex. : Has he got **a lot of** money? *Est-ce qu'il a beaucoup d'argent ?*

- MANY + dénombrable pluriel
  Ex. : She hasn't got **many** friends. *Elle n'a pas beaucoup d'ami(e)s.*

On peut remplacer "many" par **"a lot of"** ou **"lots of"**
  Ex. : She's got **a lot of/lots of** friends. *Elle a beaucoup d'ami(e)s.*

Note :
"much" et "many" s'emploient rarement dans les phrases affirmatives. Dans ce cas, les anglophones préfèrent utiliser **"a lot of"** ou **"lots of"**.

- PLENTY OF + indénombrable / dénombrable pluriel
  Ex. : I have **plenty of** time / friends. *J'ai beaucoup de temps / d'ami(e)s.*

b) Trop...

Pour exprimer l'excès, on a recours à :

- TOO + adjectif / adverbe

Ex. : It's too big. — *C'est trop grand.* (adjectif)

He drives too fast. — *Il conduit trop vite.* (adverbe)

- TOO MUCH

Ex. : You eat too much. — *Tu manges (Vous mangez) trop.*

- TOO MUCH + indénombrable

Ex. : There's too much noise. — *Il y a trop de bruit.*

- TOO MANY + dénombrable pluriel

Ex. : There were too many people. — *Il y avait trop de monde.*

4) De « assez » à... « tout »

⚠ Attention ! Voici d'autres quantificateurs indéfinis. Il est indispensable de connaître leur compatibilité ou leur incompatibilité avec les noms dénombrables et indénombrables (pour la notion de dénombrable et d'indénombrable, voir p. 14-15).

a) Assez...

Pour exprimer une quantité suffisante, on emploie :

- ENOUGH devant un nom

Ex. : I've got enough money to pay my rent.
J'ai assez d'argent pour payer mon loyer.

ou après un adjectif

Ex. : He isn't rich enough to buy it.
Il n'est pas assez riche pour l'acheter.

b) Plusieurs...

- SEVERAL + dénombrable pluriel

Ex. : We have several places to visit.
Nous avons plusieurs endroits à visiter.

c) Tout...

Pour exprimer la totalité, on emploie :

- ALL + indénombrable / dénombrable pluriel

  Ex. : She has finished **all** her work. (indénombrable)
  Elle a fini tout son travail.

  All these cars (dénombrable pluriel) are German.
  Toutes ces voitures sont allemandes.

- EVERY + dénombrable <u>singulier</u>

  Ex. : He gets up at 7 **every** day. *Il se lève à 7 heures tous les matins.*

⚠ Attention ! Il ne faut pas confondre "every" (*« tous »*) et "each" (*« chacun »*).

Ex. : **Each** of you must wear a uniform.
Chacun(e) d'entre vous doit porter un uniforme.

- BOTH + dénombrable pluriel

  Ex. : I like **both** films. *J'aime les deux films.*
  I like them **both**. *Je les aime tous les deux.*

⚠ Attention à la place de "**both**" et "**all**" quand ils sont associés à des pronoms.

Ex. : I like them **both**. / I like **both** of them.
Je les aime tous (toutes) les deux.

We bought them **all**. / We bought **all** of them.
Nous les avons tous achetés.

d) De un peu de à... quelques

Pour signifier qu'une chose existe en petite quantité (un peu...) ou en nombre réduit (quelques...), on emploie :

- A LITTLE + indénombrable

  Ex. : Can I have **a little** sugar? *Puis-je avoir un peu de sucre ?*

- A FEW + dénombrable pluriel

  Ex. : He only had **a few** friends there.
  Il n'avait que quelques ami(e)s ici.

e) Peu de...

Pour signifier qu'une chose existe en trop petite quantité ou en nombre trop réduit (peu de...), on emploie :

- LITTLE + indénombrable
  Ex. : He had very **little** time. *Il avait très peu de temps.*
- FEW + dénombrable pluriel
  Ex. : **Few** pupils study Latin. *Peu d'élèves étudient le latin.*

f) De la plupart à... des millions

Pour évoquer une quantité très importante envisagée sous l'angle de la généralité (la plupart...), on emploie :

- MOST + indénombrable / dénombrable pluriel
  Ex. : **Most** people like travelling. *La plupart des gens aiment voyager.*
- MOST OF + déterminant + nom
  Ex. : **Most of** my friends can speak English.
  La plupart de mes ami(e)s savent parler anglais.

Pour évoquer un nombre approximatif (des dizaines*, des centaines, des milliers...), on emploie **les nombres cardinaux au pluriel suivis de "of"** :

Ex. : They receive **hundreds of** letters.
Ils (Elles) reçoivent des centaines de lettres.

Thousands / Millions of tourists come to France every year.
Des milliers / des millions de touristes viennent en France chaque année.

* *« Des dizaines de... »* se traduit en anglais par **"Dozens of..."** *(« Des douzaines de... »)*.

5) Autres indéfinis

a) Either / neither

- **Either** et **neither** ne s'emploient que dans le cas où l'on désigne deux éléments dans une phrase.

either (forme affirmative) signifie *« l'un(e) ou l'autre, n'importe lequel (laquelle) des deux »*.

Ex. : Do you prefer tea or coffee? — **Either** will be fine.
Préférez-vous (Préfères-tu) le thé ou le café ? — *L'un ou l'autre me conviendra.*

neither (forme négative) signifie *« ni l'un(e) ni l'autre, aucun(e) des deux »*.

Ex. : Which do you prefer? — **Neither** of them.
Lequel (Laquelle) préférez-vous (préfères-tu) ? — Ni l'un(e) ni l'autre.

• L'expression « *soit... soit... / ou... ou...* », quand elle comporte deux éléments, se traduit par "**either... or...**".

Ex. : He's **either** German **or** Swedish.
Il est soit allemand soit suédois.

À l'inverse, l'expression « *ni... ni...* » se traduit par "**neither... nor...**".

Ex. : I'm **neither** a liar **nor** a hypocrit!
Je ne suis ni menteur(euse) ni hypocrite.

• **not either** et **neither** signifient « *non plus* » :

Ex. : He told me he didn't like tea but he doesn't like coffee **either**.
Il m'a dit qu'il n'aimait pas le thé mais il n'aime pas le café non plus.

⚠ Attention ! **Neither**, dans le sens de « *non plus* », est utilisé avec un auxiliaire et un sujet exprimé (voir **les tags** p. 80).

Ex. : He never drinks tea. – **Neither do I.**
Il ne boit jamais de thé. – Moi non plus.

b) Other, else, same

• **Other**, *autre, d'autre*, est invariable lorsqu'il est utilisé comme adjectif indéfini.

Ex. : I have no **other** sister. *Je n'ai pas d'autre sœur.*

En revanche, en tant que pronom, il peut porter la marque du pluriel.

Ex. : I don't know where the **others** are.
Je ne sais pas où sont les autres.

• **Else**, *d'autre, autrement*, est un adverbe invariable qui s'emploie exclusivement avec les composés de **every, some, any** et **no** ainsi qu'avec **what, who, where**. Il se place immédiatement après eux.

Ex. : **Someone else** called you yesterday.
Quelqu'un d'autre t'a (vous a) appelé(e) hier.

What else could I do for you?
Qu'est-ce que je pourrais faire d'autre pour toi (vous) ?

• **The same** signifie *le même, la même, les mêmes.*

Ex. : It's always **the same** old story!
C'est toujours la même histoire !

Si l'on veut exprimer **une comparaison, the same** se construit comme un comparatif d'égalité, c'est-à-dire avec **as**.

V. Les quantificateurs indéfinis

Ex. : He likes the same books as you.
Il aime les mêmes livres que toi (vous).

Si l'on veut exprimer **une identité, the same** se construit avec **that** + proposition verbale.

Ex. : She came by the same road that you took.
Elle est venue par la même route que toi (vous).

6) Les quantificateurs définis (nombres, poids et mesures)

a) Les nombres cardinaux

0 zero	10 ten	20 twenty	100 a / one hundred
1 one	11 eleven	21 twenty-one	101 a / one hundred and one
2 two	12 twelve	22 twenty-two	102 a / one hundred and two
3 three	13 thirteen	30 thirty	200 two hundred
4 four	14 fourteen	40 forty	300 three hundred
5 five	15 fifteen	50 fifty	1,000 a / one thousand
6 six	16 sixteen	60 sixty	1,001 a / one thousand and one
7 seven	17 seventeen	70 seventy	2,000 two thousand
8 eight	18 eighteen	80 eighty	3,000 three thousand
9 nine	19 nineteen	90 ninety	100,000 a / one hundred thousand

1,000,000 a / one million
1,000,001 a / one million and one
2,000,000 two million
1,000,000,000 *(un milliard)* a / one thousand million ou a / one milliard (GB) ou a / one billion (US)
1,000,000,001 a / one thousand million and one ou a / one milliard and one (GB) ou a / one billion and one (US)
2,000,000,000 two thousand million ou two milliard (GB) ou two billion (US), etc.

⚠ Attention !

- De 13 à 19 les nombres cardinaux se terminent en **-teen**.
  Les dizaines (20, 30, 40...) se terminent en **-ty**.
- Notez qu'il faut toujours ajouter **"and"** après "hundred" quand il est suivi d'un chiffre ou d'un nombre.

Ex. : 820,999 eight hundred **and** twenty thousand nine hundred **and** ninety-nine

- Hundred, thousand, million... ne prennent pas de « s » au pluriel sauf s'ils sont employés avec "of"

  Ex. : **Three hundred** men died there.
  Trois cents hommes sont morts là-bas.

  Hundreds of men died there.
  Des centaines d'hommes sont morts là-bas.

- En anglais, la séparation des milliers et des millions s'écrit avec une virgule et la séparation décimale s'écrit avec un point ; c'est l'inverse en français.

Ex. : français	anglais
2 556	2,556
5 622 321	5,622,321
3,4	3.4 (on dit : "three point four")

- Il y a plusieurs façons d'exprimer le 0 :

Numéros de téléphone :	0 (prononcé [au] comme la lettre de l'alphabet)
Ex. : 01 88 56 32 01	O one double eight five six three two O one
Température :	zero [ziərəu]
Mathématiques :	zero ou naught [nɔ:t]
Points au tennis :	love [lʌv] (fifteen-love : *quinze-zéro*)
Score au football :	nil-[nil] (3-0, three-nil : *trois buts à zéro*)

- Pour parler d'une décennie, par exemple des années « trente », on écrit :
  The 30's, the 30s ou the thirties, et on dit "the thirties".

- Pour dire l'année, on prend généralement les chiffres deux par deux.
  Ex. : 1956 nineteen fifty-six ; 1742 seventeen forty-two

⚠ Attention : 1801 eighteen O one
1700 seventeen hundred
2000 two thousand

b) Les nombres ordinaux

Les nombres ordinaux indiquent un rang. À l'exception de first (1st, 21st twenty-first, 31st, 41st, etc.), second (2nd, 22nd twenty-second, 32nd, 42nd, etc.) et third (3rd, 23rd twenty-third, 33rd, 43rd, etc.), ils se forment en ajoutant -th aux nombres cardinaux.

Ex. : 4th / fourth, 6th / sixth, 27th / twenty-seventh, etc.

⚠ Attention aux transformations orthographiques suivantes :
Five devient **fifth**, nine devient **ninth**, twelve devient **twelfth**.
Les cardinaux qui se terminent en -ty (dizaines) deviennent des ordinaux se terminant en **-tieth** : twenty devient **twentieth**, thirty devient thirtieth, etc.

On utilise les nombres ordinaux en anglais pour :

– les dates
Ex. : **Saturday, July 14th** ou **Saturday, July 14** ou encore **Saturday 14th July**
On dit généralement **"Saturday, the fourteenth of July"**
En-tête de lettres : *Le 11 mai 1993* **11th May 1993**

– le nom des souverains

On écrit :	Elizabeth II	et on dit	**"Elizabeth the second"**
	Henry VIII		**"Henry the eighth"**

c) Les mesures anglo-saxonnes

• Les longueurs :
inch, *pouce* : 0,0254 m
foot, *pied* : 0,3048 m (= 12 inches)
yard, *yard* : 0,9144 m (= 3 feet)
mile, *mile* : 1 609 m

⚠ Attention à ne pas confondre le mile anglais avec le mile marin :
mile anglais : 1 609 m
mile marin : 1 852 m

• Les surfaces :
Carré se dit **square**. Il y a donc des **square inches**, des « *pouces carrés* » et des **square feet**, des « *pieds carrés* », et des **square yards**, des « *yards carrés* ». De plus en plus, cependant, les Anglo-Saxons emploient les *mètres carrés*, **square meters**.

✓ Notez aussi :
acre : 0,4047 ha (environ un demi-hectare)
square mile : 258,9988 ha (environ 260 hectares)

• Les volumes :
Cube se dit **cubic**. Il y a donc des **cubic inches**, des « *pouces cubes* », des **cubic feet**, des « *pieds cubes* », des **cubic yards**, des « *yards cubes* », etc. Là encore, de plus en plus souvent, les Anglo-Saxons emploient des *mètres cubes*, **cubic meters**.

- Les capacités :
  fluid ounce : 29,573 cm^3
  pint : 0,568 l
  gallon (GB) : 4,546 l
  gallon (US) : 3,785 l
- Les poids :
  ounce (Oz) : 28,35 g
  pound (Lb) : 453,59 g
  quarter (Q) : 12,70 kg
  hundredweight : 50,802 kg
  ton long ton : 1 016 kg
  short ton : 907 kg

✓ Notez que les Anglo-Saxons emploient aussi la tonne métrique, dite metric ton, de 1 000 kg.

✓ Notez aussi que le système de poids traditionnel anglais est lentement mais peu à peu remplacé par le système des kilos : **kilo(s)** ou **kilogram(s)**.

- Température en degrés **Fahrenheit** :
  ° Fahrenheit : (1,8 fois le ° centigrade) + 32

7) Les quantificateurs comme pronoms

La plupart des quantificateurs, indéfinis ou non (à l'exception de « every »), peuvent être employés comme **pronoms**.

– Dans des structures où ils sont souvent suivis de "of" :

Ex. :	Some of the children.	*Certains des enfants.*
	Many of them.	*Beaucoup d'entre eux (elles).*
	A few of you.	*Quelques-un(e)s parmi vous.*
	One of the pupils.	*Un(e) des élèves.*
	Two of us.	*Deux d'entre nous.*

– Ou tout seuls :

Ex. :	Some have come.	*Certain(e)s sont venu(e)s.*
	He saw **many**.	*Il en a vu beaucoup.*
	She bought **a few**.	*Elle en a acheté quelques-un(e)s.*
	Give me **three**.	*Donne(z)-m'en trois.*
	I want **ten**.	*J'en veux dix.*

VI. LES ADVERBES

En anglais, comme en français, l'adverbe est un mot invariable.

1) Formation des adverbes

En anglais, les adverbes se forment le plus souvent à partir de l'adjectif auquel on ajoute le suffixe -ly.

Adjectif	Adverbe
sad *triste*	sadly *tristement*
kind *gentil*	kindly *gentiment*

• Les adverbes concernés par cette règle peuvent subir des modifications orthographiques, c'est pourquoi, il faut souvent se référer au dictionnaire.

Adjectif	Adverbe
lucky *chanceux*	luckily *avec de la chance*
simple *simple*	simply *simplement*
full *plein*	fully *pleinement*

⚠ Attention ! Certains mots se terminant en -ly sont des adjectifs et non des adverbes. Ils sont rares.

À retenir :

Adjectif	Adverbe
friendly *amical*	**in a friendly way** *amicalement*
lovely *joli, mignon*	**in a lovely way** *d'une jolie façon*
silly *sot*	**in a silly way** *de façon idiote*

De même qu'en français tous les adverbes ne se terminent pas en -ment, en anglais tous les adverbes ne se terminent pas en -ly.

• Certains adverbes ont la même forme que l'adjectif qui leur correspond. C'est le cas des adverbes-adjectifs suivants :
daily, weekly, monthly, yearly, early / late, back, close, fast, first / last, hard, inside / outside, little, long, loud, low, near, next, only, opposite, quick, round, slow, very, etc.
Ex. : This is a **daily** (adjectif) newspaper.
C'est un journal quotidien.
I read it **daily** (adverbe). *Je le lis quotidiennement.*

- Certains adverbes ne correspondent à aucun adjectif. C'est le cas des adverbes suivants :
  almost, always, often, sometimes, usually, occasionally, rarely, never, etc.

2) La position de l'adverbe dans la phrase

- Les adverbes de manière se placent généralement après le complément, mais parfois aussi avant le verbe.
  Ex. : I speak English **fluently**. *Je parle anglais couramment.*
  I **really** enjoy dancing. *J'aime vraiment bien danser.*

- Les adverbes de fréquence se placent toujours avant le verbe (et après l'auxiliaire s'il y en a un) **sauf avec le verbe to be.**

Adverbes de fréquence : **rarely** (*rarement*), **sometimes** (*parfois*), **occasionally** (*occasionnellement*), **frequently** (*fréquemment*), **often** (*souvent*), **usually** (*habituellement*), **always** (*toujours*), **never** (*jamais*).

Ex. : She **often** gets up early. (avant le verbe)
Elle se lève souvent tôt.

She has **never** driven a car. (avant le verbe et après l'auxiliaire)
Elle n'a jamais conduit de voiture.

He is **sometimes** late. (après le verbe to be)
Il est parfois en retard.

Les locutions adverbiales de fréquence comme **every day** (*tous les jours*), **once a week** (*une fois par semaine*), **twice a month** (*deux fois par mois*), **three times a year** (*trois fois par an*), etc., se placent en début ou en fin de phrase.

Ex. : We see her **every day**. *Nous la voyons tous les jours.*

- Les adverbes de lieu et de temps comme **here** (*ici*), **there** (*là-bas*), **yesterday** (*hier*), **tomorrow** (*demain*), **today** (*aujourd'hui*), etc., se placent généralement en fin de phrase.
  Ex. : We're leaving **tomorrow**. *Nous partons demain.*

- Les adverbes de degré comme **too** (*trop*), **very** (*très*), **more** (*plus*), **totally** (*totalement*), **nearly** (*presque*), **enough** (*assez*), etc., se placent immédiatement avant l'adjectif ou l'adverbe qu'ils modifient.
  Ex. : These boots are **too** small. *Ces bottes sont trop petites.*

VI. Les adverbes

- Les adverbes négatifs comme **barely, hardly, scarcely** *(à peine, presque pas)* se placent avant le verbe (et après l'auxiliaire s'il y en a un).

⚠ Attention !
Leur sens étant négatif, le verbe apparaît toujours à la forme affirmative.

Ex. : I could **scarcely** believe it. *Je pouvais à peine y croire.*

VII. LES PRÉPOSITIONS

• Quelques prépositions courantes :

above, *au-dessus de*	in front of, *en face de*
across, *à travers / de l'autre côté*	into, *dans*
along, *le long de*	near / close to / by, *près de*
among, *parmi*	next to, *à côté de*
around, *autour de*	off, *au large de / éloigné*
at, *à*	on, *sur / dans (un bus, un train)*
behind, *derrière*	opposite, *en face de*
below, *au-dessous de*	over, *par-dessus / au-dessus*
between, *entre*	to, *à*
down, *en bas de / vers le bas*	towards, *vers*
from, *(en provenance) de*	under, *sous*
in, *dans*	up, *en haut de / vers le haut de*

• In ou into ?

On utilise in (*dans*) quand on localise quelqu'un ou quelque chose.

Ex. : He's in the kitchen. *Il est dans la cuisine.*

On utilise into (*dans*) pour indiquer que l'on pénètre dans un lieu.

Ex. : Someone went into my bedroom when I wasn't in.
Quelqu'un est entré dans ma chambre alors que je n'y étais pas.

• At ou to ?

On utilise at (*à*) quand il n'y a pas de mouvement.

Ex. : They're at school. *Ils (Elles) sont à l'école.*

On utilise to (*à*) quand il y a mouvement, déplacement d'un point vers un autre.

Ex. : They're going to school. *Ils (Elles) vont à l'école.*

• To ou from ?

On utilise from (*de*) quand on se réfère à la provenance, à l'origine.

Ex. : She's from London. *Elle est de Londres.*

On utilise to (*de*) quand on se réfère à la direction, à la destination.

Ex. : I saw him on the train to London.
Je l'ai vu dans le train de (qui allait à) Londres.

VII. Les prépositions

- Les prépositions de temps

after, *après* at, *à (+ heure)* before, *avant* during, *pendant* for, *pendant / depuis* from, *à partir de*	in, *en* on, *le (+ jour)* since, *depuis* still, *encore* until, *jusqu'à* within, *en / avant*

Ex. : Be on time! *Sois (Soyez) à l'heure !*
We worked from eight to twelve.
Nous avons travaillé de huit heures à midi.

- Autres prépositions

about, *à propos de* as, *en tant que* because of, *à cause de* by, *par* except for, *excepté*	for, *pour* instead of, *au lieu de* like, *comme* thanks to, *grâce à* with, *avec*

- Rejet de la préposition en fin de phrase
Dans les wh-questions (cf. p. 63-65) et les propositions relatives (cf. p. 90), la préposition est le plus souvent séparée de son complément et rejetée en fin de phrase.
Ex. : What are you looking at?
Qu'est-ce que tu regardes (vous regardez) ?
Who does she usually go to the cinema with?
Avec qui va-t-elle au cinéma habituellement ?
I know the man you're writing to.
Je connais l'homme à qui tu écris (vous écrivez).

- Différences d'usage des prépositions entre l'anglais et le français
L'usage des prépositions entre l'anglais et le français est tellement différent qu'il faut se référer au dictionnaire le plus souvent possible et apprendre par cœur ces variations d'usage d'une langue à l'autre au cas par cas.

Verbes prépositionnels anglais, verbes simples français :

approve of, *approuver* listen to, *écouter*	comment on, *commenter* look for, *chercher*	cut down on, *réduire* pay for, *payer*, etc.

Verbes prépositionnels français, verbes simples anglais :

address, *s'adresser à* enter, *entrer dans* phone, *téléphoner à* use, *se servir de*, etc.	answer, *répondre à* need, *avoir besoin de* remember, *se souvenir de*	discuss, *discuter de* obey, *obéir à* trust, *faire confiance à*

Prépositions différentes du français :

– verbes : consist in / of, *consister à*
depend on, *dépendre de*
live on, *vivre de*
look after, *s'occuper de*
look like, *ressembler à*
think about / of, *penser à*
speak about, *parler de*
suffer from, *souffrir de*, etc.

– expressions : on foot, *à pied*
in the sun, *au soleil*
in the rain, *sous la pluie*
in the morning / afternoon / evening, *le matin / l'après-midi / le soir*
at night, *la nuit*, etc.

– adjectifs : good / bad at, *bon, mauvais en*
interested in, *intéressé par*
nice to, *gentil avec*
happy with, *heureux de*
responsible for, *responsable de*, etc.

VIII. LA PHRASE AFFIRMATIVE

Il existe deux types de phrases affirmatives en anglais et un cas particulier :

Cas n° 1 : la phrase affirmative avec auxiliaire, composée essentiellement d'un sujet, d'un auxiliaire, d'un verbe et éventuellement de compléments.

Sujet	Auxiliaire	Verbe	Compléments	Traduction
They	are	cooking	breakfast.	*Ils / Elles préparent le petit déjeuner.*
There	has	been	an accident.	*Il y a eu un accident.*
They	were	reading	when I arrived.	*Ils / Elles lisaient quand je suis arrivé(e).*
It	will	rain	tomorrow.	*Il pleuvra demain.*
He	can	swim	very well.	*Il nage très bien.*

Il est très important de distinguer en anglais le verbe de l'auxiliaire ; il faut donc connaître et savoir reconnaître les auxiliaires anglais.

Cas n° 2 : la phrase affirmative sans auxiliaire, composée essentiellement d'un sujet, d'un verbe et de compléments.

Sujet	Verbe	Compléments	Traduction
I	like	tea.	*J'aime bien le thé.*
John	likes	tea.	*John aime bien le thé.*
They	drank	tea yesterday.	*Ils / Elles ont bu du thé hier.*

Cas n° 3 : cas particulier de "to be" :

Sujet	Auxiliaire	Verbe	Compléments	Traduction
They		are	French.	*Ils / Elles sont français(es).*

"To be" est à la fois verbe et auxiliaire dans l'exemple ci-dessus. Dans la phrase "They are cooking breakfast", il s'agit de l'auxiliaire "be" et non du verbe "to be".

Il faut noter le caractère unique du verbe "to be" en anglais.
Il est unique dans la langue anglaise pour plusieurs raisons :

a) Il est tantôt verbe (et, dans ce cas, il est en quelque sorte son propre auxiliaire), tantôt auxiliaire.
b) Il a sa propre conjugaison au présent et au passé (il se distingue ainsi de tous les autres verbes anglais).
c) Il est aussi, du fait de sa double fonction (verbe / auxiliaire), le seul verbe anglais à pouvoir se passer d'auxiliaire dans les phrases négatives et interrogatives.

IX. LA PHRASE NÉGATIVE

1) Règle générale

La marque de la négation en anglais est "not".
On insère la négation "not" dans la phrase après l'auxiliaire.

2) Choix de l'auxiliaire dans les phrases négatives

Dans tous les cas (sauf cas particulier de "to be"), la phrase négative doit comporter un auxiliaire.
Le choix de cet auxiliaire est très important.
Il existe deux cas de figure et un cas particulier :

Cas n° 1 : la phrase affirmative de départ comporte un auxiliaire ; on applique la règle générale sans difficulté.

Affirmation	Négation
They are cooking breakfast.	They are not / aren't* cooking breakfast.
There has been an accident.	There has not / hasn't been an accident.
They were reading when I arrived.	They were not / weren't** reading when I arrived.
It will rain tomorrow.	It will not / won't rain tomorrow.
He can swim very well.	He cannot / can't swim very well.

* Bien souvent, "not" apparaît sous sa forme contractée "n't" (le "o" disparaît ; il est remplacé par une apostrophe) et, dans ce cas, il est « accroché » à l'auxiliaire (ex. : aren't, hasn't...).
Il existe cependant des formes négatives contractées qui ne répondent pas à cette règle et qu'il faut apprendre (ex. : won't pour will not, shan't pour shall not, can't pour cannot...)

** On notera la prononciation de "aren't" [a:nt] et de "weren't" [wɜ:nt] ; dans les deux cas, on ne prononce pas le "r".

Cas n° 2 : la phrase affirmative de départ ne comporte pas d'auxiliaire, il faut alors faire appel à d'autres auxiliaires : do, does, did.

On utilise :
- do auquel on ajoute "not" dans les phrases au présent simple.
  Ex. : I don't like tea. *Je n'aime pas le thé.*

• **does** auquel on ajoute "not" dans les phrases au **présent simple** à la troisième personne du singulier.

Ex. : John **doesn't** like tea. *John n'aime pas le thé.*

• **did** auquel on ajoute "not" dans les phrases au **prétérit simple.**

Ex. : They **didn't** drink tea yesterday.
Ils (Elles) n'ont pas bu de thé hier.

Affirmation	Négation
I like tea.	I **do not** / **don't** like tea.
John likes tea.	John **does not** / **doesn't** like tea.
They drank tea yesterday.	They **did not** / **didn't** drink tea yesterday.

Cas n° 3 : cas particulier de "to be" :

Affirmation	Négation
They are French.	They **are not** / **aren't** French.

Il existe d'autres types de phrases négatives en anglais, notamment les phrases négatives dans lesquelles "not" n'apparaît pas.
Les plus courantes sont celles avec **"never"** et **"no"**.
Avec l'adverbe de fréquence **"never"** (« *jamais* »), la phrase est négative mais "not" n'apparaît pas ; il en est de même avec le quantificateur **"no"** et ses composés (nothing, nobody, no one, nowhere).

Ex. : I have **never** seen him. *Je ne l'ai jamais vu.*
There is **no** milk left. *Il ne reste pas de lait.*

X. LA PHRASE INTERROGATIVE

1) Règle générale

Un auxiliaire, un sujet et un verbe sont les trois éléments, dans l'ordre, indispensables à la formation de phrases interrogatives en anglais (cas particulier de "to be" mis à part*).
L'ordre de ces mots dans les questions est toujours le même.
Il est essentiel de le respecter et de le retenir.
On peut le noter ainsi : A / S / V ? et retenir la phrase suivante : « Anne S'en Va » pour mémoriser l'ordre et les trois éléments de ce schéma.

A / S / V ? est le schéma type des questions en anglais

Ex. : Has she got a brother? (schéma type : A / S / V ?)
A S V
A-t-elle un frère ?

* Cas particulier de "to be" :

⚠ Attention ! Il existe un autre schéma, non moins important mais moins fréquent : le schéma V / S ? (Verbe / Sujet ?), propre au verbe "to be".
Nous nous souvenons (cf. p. 56-57) que "to be" peut être tantôt verbe tantôt auxiliaire.
Quand il est utilisé comme verbe, il est en quelque sorte son propre auxiliaire.
C'est pourquoi il est le seul verbe anglais qui peut se passer d'auxiliaire dans les questions.

Pour formuler une question avec le verbe "to be", il suffit d'inverser le sujet et le verbe (schéma V / S ?).

Ex. : Is she French? (schéma V / S ?)
V S
Est-elle française ?

2) Choix de l'auxiliaire dans les questions

Dans tous les cas (sauf cas particulier de "to be" et rares exceptions), la phrase interrogative doit comporter un auxiliaire.

Le choix de cet auxiliaire est très important.
Comme pour les phrases affirmatives et négatives, il existe deux cas de figure et un cas particulier :

Cas n° 1 : la phrase affirmative de départ comporte un auxiliaire ; il suffit de changer l'ordre des mots :

Affirmation	Interrogation schéma A / S / V ?
They are cooking breakfast.	Are they cooking breakfast?
There has been an accident.	Has there been an accident?
They were reading when I arrived.	Were they reading when I arrived?
It will rain tomorrow.	Will it rain tomorrow?
He can swim very well.	Can he swim very well?

Cas n° 2 : il n'y a pas d'auxiliaire dans la phrase affirmative de départ, il faut alors faire appel à d'autres auxiliaires : do, does, did.

On utilise :
- do dans les questions au présent simple
- does dans les questions au présent simple à la troisième personne du singulier
- did dans les questions au prétérit simple :

Affirmation	Interrogation schéma A / S / V ?
I like tea.	Do you like tea?
John likes tea.	Does John like tea?
They drank tea yesterday.	Did they drink tea yesterday?

Cas n° 3 : cas particulier du verbe "to be" :

Affirmation	Interrogation schéma V / S ?
They are French.	Are they French?

3) Les deux types de questions en anglais

Il existe deux types de phrases interrogatives en anglais : les "Yes /No questions" et les "Wh questions".

a) Les "Yes / No questions"

Souvent appelées « **questions fermées** », ce sont les questions auxquelles **on répond par** « *oui* » ou par « *non* », d'où le nom de "Yes / No questions" en anglais.
En français, ce sont toutes les questions qui peuvent commencer par « *Est-ce que... ?* »

Ex. : **Est-ce que** Paul est parti ? *Has Paul left?*

Dans cet exemple, la réponse sera affirmative ou négative ; la question s'interprète de la façon suivante : « *Est-ce que Paul est, oui ou non, parti ?* »

Toutes les questions des pages 60 et 61 sont des "Yes / No questions" ; en effet, elles appellent toutes une réponse en « *oui* » ou « *non* ».

1) Are they cooking breakfast?	Yes, they are. / No, they aren't.
2) Has there been an accident?	Yes, there has. / No, there has'nt.
3) Were they reading when I arrived?	Yes, they were. / No, they weren't.
4) Will it rain tomorrow?	Yes, it will. / No, it won't.
5) Can he swim very well?	Yes, he can. / No, he can't.
6) Do you like tea?	Yes, I do. / No, I don't.
7) Does John like tea?	Yes, he does. / No, he doesn't.
8) Did they drink tea yesterday?	Yes, they did. / No, they didn't.
9) Are they French?	Yes, they are. / No, they aren't.

On notera qu'il est préférable, en anglais, de ne pas répondre à ces questions par "Yes" ou "No" mais par ce que l'on appelle, en anglais, des "**short answers**" (littéralement, des « *réponses courtes* »).
Pour ce faire, il suffit de reprendre, dans la réponse, le sujet et l'auxiliaire, à la forme affirmative ou négative selon le cas.
On notera également que l'auxiliaire, dans les "short answers" ou « *réponses courtes* » affirmatives, n'est jamais contracté (on ne peut pas dire "Yes, they're").

Enfin, on retiendra que l'intonation des "Yes / No questions" est ascendante (montante).

b) Les "Wh questions"

Souvent appelées « questions ouvertes », ce sont les questions qui sont introduites par des mots interrogatifs qui commencent tous par les lettres "Wh", comme leur nom l'indique en anglais.
"How" et ses composés, "How much", "How many"..., s'ils ne commencent pas par les lettres "Wh", font partie des mots interrogatifs en "Wh".

Le choix du mot interrogatif de départ dépend de ce sur quoi porte la question.
Contrairement aux "Yes / No questions", les "Wh questions" appellent une réponse qui apporte une information telle que le lieu, le temps, la distance, etc.
Il existe un grand nombre de pronoms interrogatifs en "Wh" ; la liste qui suit n'est pas exhaustive mais rassemble les principaux pronoms interrogatifs en "Wh" et en "How".

Pronoms interrogatifs en "Wh"

La question porte sur

- une personne : Who
  Who did you see yesterday? *Qui as-tu (avez-vous) vu hier ?*
- une chose, une activité, un événement : What
  What is it? *Qu'est-ce que c'est ?*
  What are you doing? *Qu'est-ce que tu fais (vous faites) ?*
  What did they hear? *Qu'est-ce qu'ils (elles) ont entendu ?*
- l'aspect, l'apparence : Who... like? What... like?
  Who is she like? *À qui ressemble-t-elle ?*
  What is she like? *Comment est-elle ?*
- le possesseur : Whose
  Whose car is it? *À qui est cette voiture ?*
- le choix, une sélection : Which
  Which song do you like best? *Quelle chanson préfères-tu (préférez-vous) ?*
- la cause :
  1) la raison : Why
  Why are they late? *Pourquoi sont-ils (elles) en retard ?*
  2) le but : What for?
  What are you doing this for? *Pourquoi fais-tu (faites-vous) cela ?*

X. La phrase interrogative

- le moment : When
  When did he arrive? *Quand est-il arrivé ?*
- l'heure : What time
  What time does the train leave? *À quelle heure part le train ?*
- le lieu : Where
  Where is she going? *Où va-t-elle ?*

"HOW" ET SES COMPOSÉS

La question porte sur

- l'état, la manière : How
  How are you? *Comment vas-tu (allez-vous) ?*
  How did the accident happen? *Comment l'accident est-il arrivé ?*
- la durée : How long
  How long has she lived there? *Combien de temps a-t-elle vécu là-bas ?*
- la longueur : How long
  How long is this table? *Quelle est la longueur de cette table ?*
- la quantité : How much (+ nom indénombrable)
  How much money have they got? *Combien d'argent ont-ils (elles) ?*
- le nombre : How many (+ nom dénombrable pluriel)
  How many sisters and brothers have you got?
  Combien de frères et sœurs as-tu (avez-vous) ?
- l'âge : How old
  How old is your father? *Quel âge a ton (votre) père ?*
- la distance : How far
  How far is the station? *À quelle distance est la gare ?*
- la taille : How tall
  How tall are you? *Combien mesures-tu (mesurez-vous) ?*
- la dimension : How big
  How big is the room? *Quelle est la taille de la pièce ?*
- le poids : How heavy
  How heavy is this case? *Combien pèse cette valise ?*

- la hauteur : How high
  How high is the wall? *Quelle est la hauteur du mur ?*
- la largeur : How wide
  How wide is this table? *Quelle est la largeur de cette table ?*
- la profondeur : How deep
  How deep is the river Thames? *Quelle est la profondeur de la Tamise ?*
- la superficie : How large
  How large is this garden? *Quelle est la superficie de ce jardin ?*
- la fréquence : How often
  How often does she see him? *À quelle fréquence le voit-elle ?*

Le schéma « How + adjectif ou adverbe » permet de poser de nombreuses questions.
Il existe, en plus des exemples précédents, d'autres possibilités sur ce schéma ("How soon...", "How long ago...", "How come...", etc.).

Cas particulier de "who" et "what" sujets :
Il est des cas où "who" et "what" sont sujets dans une question.
L'ordre des mots, dans ce cas, n'est pas celui de l'interrogation (A / S / V ? ou V / S ?), mais celui des phrases affirmatives.

Comparez :

Phrases interrogatives :

Who	comes	tomorrow?	What	happened	yesterday?
sujet	verbe	complément ?	sujet	verbe	complément ?
Qui vient demain ?			*Que s'est-il passé hier ?*		

Phrases affirmatives :

Alice	comes	tomorrow.	Nothing	happened	yesterday.
sujet	verbe	complément.	sujet	verbe	complément.
Alice vient demain.			*Il ne s'est rien passé hier.*		

Quand "who" et "what" sont sujets dans une question, l'ordre des mots est le même que dans les phrases affirmatives ; seule la ponctuation change.

On retiendra, enfin, que l'intonation dans les "Wh questions" est descendante.

4) LA FORME INTERRO-NÉGATIVE

La phrase interro-négative est une phrase interrogative qui comporte une négation.
Cette forme est courante en anglais.
Pour la construire, on part de la phrase négative contractée que l'on transforme en question.

Exemples :

Phrases négatives	Phrases interro-négatives
They aren't French. *Ils (Elles) ne sont pas français(es).*	Aren't they French? *Ne sont-ils (elles) pas français(es) ?*
John doesn't like tea. *John n'aime pas le thé.*	Doesn't he like tea? *N'aime-t-il pas le thé ?*
He can't swim very well. *Il ne sait pas très bien nager.*	Can't he swim very well? *Ne sait-il pas très bien nager ?*
They aren't cooking breakfast. *Ils (Elles) ne sont pas en train de préparer le petit déjeuner.*	Aren't they cooking breakfast? *Ne sont-ils (elles) pas en train de préparer le petit déjeuner ?*
It won't rain tomorrow. *Il ne pleuvra pas demain.*	Won't it rain tomorrow? *Ne pleuvra-t-il pas demain ?*

Les phrases interro-négatives ci-dessus sont toutes des "Yes / No questions" interro-négatives.

Exemples de "Wh questions" interro-négatives :

Why can't you help me?
Pourquoi ne peux-tu (ne pouvez-vous) pas m'aider?

Where didn't she go last year?
Où n'est-elle pas allée l'année dernière ?

Remarque :
"Am" et "not" ne peuvent pas se contracter à la forme interro-négative.
On dira donc dans une phrase interro-négative : "Am I not in England?" (« *Ne suis-je pas en Angleterre ?* »)
On trouve toutefois, en anglais familier, "Aren't I... ?" et plus familièrement "Ain't I... ?" pour "Am I not... ?".

XI. LA PHRASE EXCLAMATIVE

Il existe plusieurs types de phrases exclamatives.
L'exclamation peut porter sur **un nom**, sur **un adjectif**, sur **un adverbe** ou encore sur **un verbe**.

1) L'EXCLAMATION PORTE SUR UN NOM

Dans ce cas, on utilise "**what**" ou "**such**".

Ex. :	**What** a lovely day!	*Quelle belle journée !*
	This is **such** a lovely day!	*C'est une si belle journée !*
	What an awful tragedy!	*Quelle affreuse tragédie !*
	This is **such** an awful tragedy!	*C'est une tragédie si affreuse !*
	What beautiful shoes!	*Quelles belles chaussures !*
	They're **such** beautiful shoes!	*Ce sont de si belles chaussures !*

On notera **la présence indispensable de l'article "a"** devant une consonne et "**an**" devant une voyelle quand le nom sur lequel porte l'exclamation est **un dénombrable singulier** (ex. : day, tragedy...), par opposition à **un dénombrable pluriel** (ex. : shoes...) ou à **un indénombrable** (ex. : hair, milk, sugar...). (cf. p. 14-15)

2) L'EXCLAMATION PORTE SUR UN ADJECTIF, UN ADVERBE OU UN VERBE

Dans ce cas, on utilise "**how**" ou "**so**".

Ex. :	**How** nice of you to come!	*Que c'est gentil à vous (toi) de venir !*
	It's **so** nice of you to come!	*C'est si gentil à vous (toi) de venir !*
	How silly!	*Que c'est bête !*
	It's **so** silly!	*C'est si bête !*
	How fast he runs!	*Comme il court vite !*
	He's **so** fast!	*Il court si vite !*
	How I love you!	*Comme je t'aime (vous aime) !*
	I love you **so** much!	*Je t'aime (vous aime) tant !*

⚠ Attention, il ne faut pas confondre : "**How tall he is!**" (« *Comme il est grand !* ») et "**How tall is he?**" (« *Combien mesure-t-il ?* »).
L'ordre des mots est toujours très important.

XII. LA PHRASE À LA VOIX PASSIVE

Le passif est beaucoup plus courant en anglais qu'en français.

1) EMPLOI ET FORMATION DU PASSIF

- À la voix passive, le COD occupe la place de sujet.
  Le COD, devenu sujet à la voix passive, est placé en première position dans la phrase.

Exemple 1 :

phrase active : Mrs White has cleaned the house.
sujet complément (COD)
Mme White a nettoyé la maison.

Exemple 2 :

phrase passive : The house has been cleaned by Mrs White.
sujet complément d'agent
La maison a été nettoyée par Mme White.

Dans la phrase passive ci-dessus (ex. 2), ce n'est plus la personne qui a nettoyé la maison qui nous intéresse, mais le fait que la maison ait été nettoyée.
Le COD, "the house", est devenu sujet dans la phrase passive.

- L'emploi du passif indique que l'on attache plus d'importance à l'action elle-même qu'à la personne qui l'a accomplie.
  D'ailleurs, le complément d'agent, introduit par "by" ("by Mrs White"), n'est pas toujours mentionné.
  On aurait pu dire aussi : "The house has been cleaned."
  En effet, on ne mentionne le complément d'agent que si celui-ci a une importance particulière.
  Ex. : He was treated by the best doctor.
  Il a été soigné par le meilleur médecin.

- Grammaticalement, le passif se forme à l'aide de l'auxiliaire "be" et du participe passé du verbe lexical (be + participe passé).
  On peut utiliser le passif à tous les temps.

XII. La phrase à la voix passive

Pour conjuguer le passif, il suffit de conjuguer l'auxiliaire "be" au temps demandé :

- au présent simple :
  The house **is** built. *La maison est construite.*
- au présent continu (be + ing) :
  The house **is being** built. *La maison est en construction.*
- au futur :
  The house **will be** built. *La maison sera construite.*
- au prétérit simple :
  The house **was** built. *La maison a été construite.*
- au prétérit continu (be + ing) :
  The house **was being** built. *On construisait la maison.*
- au present perfect :
  The house **has just been** built. *La maison vient juste d'être construite.*
- au past perfect :
  The house **had been** built. *On avait construit la maison.*

On peut aussi combiner **les auxiliaires de modalité** et le passif pour exprimer par exemple :

- La possibilité :
  The house **can be** built. *On peut construire la maison.*
- L'impossibilité :
  The house **can't be** built. *On ne peut pas construire la maison.*
- L'obligation :
  The house **must be** built. *Il faut construire la maison.*
- L'interdiction :
  The house **mustn't be** built. *Il ne faut pas construire la maison.*
- L'éventualité :
  The house **may be** built. *Il se peut que la maison soit construite.*
- ou la permission :
  The house **may be** built. *On peut construire la maison.*
- Le conseil :
  The house **should be** built. *Il faudrait construire la maison.*

Les deux éléments indispensables au passif et communs aux exemples ci-dessus sont : **l'auxiliaire "be" et le participe passé du verbe lexical.**

- Quand le verbe, à la voix active, est suivi d'une particule ou d'une préposition, **la particule ou la préposition sont maintenues, à la voix passive, à la droite du verbe.**

Phrase active Someone will take care **of** the children. (verbe à préposition : to take care of)
Quelqu'un s'occupera des enfants.

Phrase passive The children will be taken care **of**. (la préposition "of" est maintenue, à la droite du verbe)
On s'occupera des enfants.

2) Les verbes à deux compléments

En anglais, certains verbes peuvent être suivis de **deux compléments : un complément d'objet direct** (COD, « quoi ? ») et **un complément d'objet indirect** (COI, « à qui ? »), appelé aussi complément d'attribution.

En anglais, ces verbes donnent lieu à **deux phrases actives :**

Ex. : The boys **gave a present to their teacher.**
Les garçons ont donné un cadeau à leur professeur.

ou

The boys **gave their teacher a present.**
Les garçons ont donné à leur professeur un cadeau.

- **On peut transformer ces deux phrases actives en phrases passives** si l'on veut **donner de l'importance au COD ou au COI** et les mettre en première position dans la phrase.
Cette transformation donne lieu à **deux phrases passives** ; dans la première, le COD est devenu sujet, dans la deuxième, c'est le COI qui devient sujet :

A present was given to the teacher (by the boys).
Le COD est devenu sujet.
On a donné un cadeau au professeur.

ou

The teacher was given a present (by the boys).
Le COI est devenu sujet et, dans ce cas, on ne peut pas traduire en français le complément d'agent (by the boys).
On a donné au professeur un cadeau.

On utilise souvent en anglais des phrases passives qui ont pour sujet le COI (ex. : The teacher was given a present.).
De telles constructions n'existent pas en français, c'est pourquoi on utilise « *on* » en français.

• Les verbes à deux compléments les plus courants en anglais sont :

Give — To give somebody something / To give something to somebody
donner quelque chose à quelqu'un

Bring — To bring somebody something / To bring something to somebody
apporter quelque chose à quelqu'un

Show — To show somebody something / To show something to somebody
montrer quelque chose à quelqu'un

Teach — To teach somebody something / To teach something to somebody
enseigner quelque chose à quelqu'un

Tell — To tell somebody something / To tell something to somebody
dire quelque chose à quelqu'un

Promise — To promise somebody something / To promise something to somebody
promettre quelque chose à quelqu'un

Offer — To offer somebody something / To offer something to somebody
offrir quelque chose à quelqu'un

Ask — To ask somebody something / To ask something to somebody
demander quelque chose à quelqu'un

Send — To send somebody something / To send something to somebody
envoyer quelque chose à quelqu'un

Lend — To lend somebody something / To lend something to somebody
prêter quelque chose à quelqu'un

Ex. : She is sent a letter every day.
On lui envoie une lettre tous les jours.

He was given a job.
On lui a donné un emploi.

The minister will be asked many questions.
On posera beaucoup de questions au ministre.

XIII. LA PHRASE À L'IMPÉRATIF

La forme impérative sert, comme en français, à exprimer des choses différentes :

– des ordres Go away! *Va-t'en ! / Allez-vous-en !*
– des offres Have a cup of tea! *Prends (Prenez) une tasse de thé !*
– des suggestions Let's dance! *Allez, dansons !*
– des requêtes Let me try again! *Laisse-moi (Laissez-moi) essayer encore !*

1) LES FORMES DE L'IMPÉRATIF

a) À la 2e personne du singulier et du pluriel

• À la forme affirmative, on utilise

la base verbale*

Ex. :	Go away!	*Va-t'en ! / Allez-vous-en !*
	Keep quiet!	*Tais-toi ! / Taisez-vous !*
	Be a good girl!	*Sois sage !*
	Be good girls!	*Soyez sages, les filles !*
	Take a seat!	*Prends (Prenez) un siège !*

* On parle de **base verbale** quand le verbe n'est pas conjugué ou ne porte aucune marque de temps ni marqueur grammatical quelconque.

• À la forme négative, on utilise

Don't + la base verbale

Ex. :	Don't go away!	*Ne pars pas ! / Ne partez pas !*
	Don't tell John!	*Ne le dis (dites) pas à John !*
	Don't be so envious!	*Ne sois (soyez) pas si jaloux (jalouse[s]) !*

b) À la 1re personne du pluriel

• À la forme affirmative, on utilise

Let's (let us) + la base verbale

Ex. :	Let's dance!	*Dansons !*
	Let's go!	*Allons-y !*
	Let's take a taxi!	*Prenons un taxi !*

- À la forme négative, on utilise

Let's not + la base verbale

ou

Don't let's + la base verbale

Ex. : Let's not play cards! *Ne jouons pas aux cartes !*
Don't let's play cards!

Let's not shout! *Ne crions pas !*
Don't let's shout!

c) À la 3e personne du singulier et du pluriel

- À la forme affirmative, on utilise

Let + un pronom complément (him, her, them) + la base verbale

Ex : Let him go! *Qu'il parte !*
Let her try again! *Qu'elle essaie à nouveau !*
Let them play! *Qu'ils (Qu'elles) jouent !*

- À la forme négative, on utilise

Don't let + un pronom complément (him, her, them) + la base verbale

Ex. : Don't let him go! *Qu'il ne parte pas !*
Don't let her try again! *Qu'elle n'essaie pas à nouveau !*
Don't let them play! *Qu'ils (Qu'elles) ne jouent pas !*

2) L'IMPÉRATIF + « TAG »

Une phrase à l'impératif peut être suivie d'un « **tag** » qui va ajouter à la phrase soit une nuance d'autorité, soit une nuance de persuasion. Dans les deux cas, ce « tag » sera "**will you**", ou "**shall we**" à la 1re pers. du pluriel.

- Tags d'autorité :

Don't go away, **will you**! *Ne pars pas, veux-tu ! / Ne partez pas, voulez-vous !*

Let him go, **will you**! *Laisse-le partir, veux-tu ! / Laissez-le partir, voulez-vous !*

- Tags de persuasion :

Don't go away, **will you**?	*Allez, ne pars pas, je t'en prie ! / Allez, ne partez pas, je vous en prie !*
Let's dance, **shall we**?	*Allez, on danse, oui ?*

À l'oral, l'intonation d'un tag d'autorité sera descendante, celle d'un tag de persuasion, ascendante.
À l'écrit, un tag d'autorité sera suivi d'un point d'exclamation, un tag de persuasion, d'un point d'interrogation.

3) L'IMPÉRATIF EMPHATIQUE

L'impératif peut aussi être précédé de "**do**" pour **insister** ou **persuader**. On peut l'utiliser à toutes les personnes mais c'est à la 2e personne qu'il est le plus courant.
Il s'agit de l'**impératif emphatique** qui sert à **marquer plus d'insistance**.

Ex. : **Do** try and understand.	*Essaie / Essayez donc de comprendre.*
Do come if you can.	*Viens, je t'en prie, si tu le peux. / Venez, je vous en prie, si vous le pouvez.*

XIV. LA PHRASE EMPHATIQUE

L'emphase n'apporte aucune information nouvelle, elle permet d'insister sur un élément particulier dans le but de confirmer ou de contredire ce qui vient d'être dit ou sous-entendu.
Elle s'exprime de plusieurs façons, à l'oral comme à l'écrit.

1) À L'ORAL

On accentue le mot qui porte l'emphase.
On le met en relief en l'accentuant, c'est-à-dire, en insistant sur ce mot.
L'accent emphatique peut être porté par différents types de mot dans la phrase (le sujet, le verbe, le complément...).
Selon le mot que l'on choisit d'accentuer – sur lequel on fait porter l'emphase –, la phrase prend un sens différent.

Phrase de départ :
John always wears a tie. *John porte toujours une cravate.*

Observez :

- **John** always wears a tie. *C'est* **John** *qui porte toujours une cravate* (et non Paul, par exemple).
- John **always** wears a tie. *John porte* **toujours** (et non parfois, par exemple) *une cravate.*
- John always wears **a tie**. *John porte toujours* **une cravate** (et non un nœud papillon, par exemple).

Dans ces exemples, l'emphase ajoute à chaque fois du sens à la phrase et confirme ce qui vient d'être dit ou le contredit, selon le contexte.

2) À L'ÉCRIT

- Dans un texte manuscrit, on marque l'emphase en soulignant le mot que l'on veut accentuer, mettre en relief.
  Ex. : A – "Does she like him?" – « *Est-ce qu'elle l'apprécie ?* »
  B – "She loves him." – « *Elle l'aime.* »
- Dans un texte imprimé, on utilise l'italique :
  B – "She *loves* him."

Dans cet exemple, l'emphase sert à ajouter un degré d'intensité à ce qui vient d'être dit. "Love" est bien sûr plus fort que "like".

Autre exemple :

A – "He's nice, isn't he?" – « *Il est gentil, non ?* »
B – "Nice? He's *horrible*!" – « *Gentil ? Il est **horrible** !* »

Dans cet exemple, B n'est pas d'accord avec A, il pense même le contraire.
L'emphase sert ici à exprimer le contraste.
B contredit ce qui vient d'être dit en insistant sur l'adjectif "*horrible*".

3) Les auxiliaires et l'emphase

- **Quand l'emphase porte sur un auxiliaire, l'auxiliaire ne peut pas être contracté.**

Ex. : She *has* got a sister. *Elle a **bien** une sœur !* (l'emphase confirme)
*Elle a une sœur, **je t'assure** !* (l'emphase contredit)
He *will* divorce her. *Il va **bien** divorcer !*
*Il va divorcer, **je t'assure** !*
I *can* drive! ***Mais si,** je sais conduire !*

- **Quand l'emphase porte sur un verbe et qu'il n'y a pas d'auxiliaire dans la phrase,** on fait appel aux auxiliaires **"do-does-did"**.
Le présent simple et le prétérit simple ne font habituellement pas apparaître d'auxiliaire à la forme affirmative.
Pourtant, les auxiliaires **"do"** (présent simple), **"does"** (présent simple, 3e personne du singulier) et **"did"** (prétérit simple) **peuvent exister dans des phrases affirmatives pour exprimer l'emphase.**

Ex. : I *do* believe you. ***Je t'assure** que je te crois./**Je vous assure** que je vous crois.* (l'emphase confirme)
***Mais si,** je te (vous) crois.* (l'emphase contredit)
He *does* want to work. *Il veut **vraiment** travailler.*
***Mais si,** il veut travailler.*
She *did* lose her job. *Elle a **vraiment** perdu son travail.*
***Mais si,** elle a perdu son travail.*

L'énoncé affirmatif en "do, does, did" n'apporte aucune information nouvelle ; c'est un énoncé emphatique qui permet de confirmer ou de contredire ce qui vient d'être dit ou sous-entendu.

XV. LES PHRASES RÉDUITES
(« tags » et autres reprises par l'auxiliaire)

Observons ces phrases :

- Réponses courtes ("short answers") :
  "Does she teach Latin and Greek?" "Yes, she does."
  « Est-ce qu'elle enseigne le latin et le grec ? » « Oui. »
- « Tags » interrogatifs ("question tags") :
  "She's an excellent teacher, isn't she?"
  « Elle est un excellent professeur, n'est-ce pas ? »
- Tags » de surprise :
  "She likes swimming." "Does she?"
  « Elle aime la natation. » « Vraiment ? »
- « Tags » de conformité pouvant exprimer un accord ou une identité de goût, d'action, d'état...
  "She loves babies." "So do I."
  « Elle adore les bébés. » « Moi aussi. »
  "She cannot count very well." "Neither can I."
  « Elle ne sait pas très bien compter. » « Moi non plus. »
- « Tags » de non-conformité pouvant exprimer un désaccord ou une différence de goût, d'action, d'état...
  "She's a lenient woman." "I'm not."
  « C'est une femme indulgente. » « Moi pas. »
  "I'm thirty." "She isn't yet."
  « J'ai trente ans. » « Elle, pas encore. »

On constate, dans chacune de ces phrases, une reprise de l'auxiliaire ("does", "isn't", "do"...).
Ces reprises par l'auxiliaire sont très courantes en anglais ; il faut bien comprendre leur fonctionnement et les utiliser le plus souvent possible.

1) Les réponses courtes

Il faut éviter de répondre en anglais par un simple "Yes" ou "No".
Il est préférable d'utiliser ce que l'on appelle en anglais les "short answers", les réponses courtes.

XV. Les phrases réduites

Une réponse courte se construit sur le modèle suivant :

Équivalent de « oui » en français :

Yes, + pronom personnel sujet + auxiliaire

Équivalent de « non » en français :

No, + pronom personnel sujet + auxiliaire + not / n't

L'auxiliaire utilisé est celui qui apparaît dans la question qui précède la réponse courte ; il varie donc selon les questions.

Ex. : "Can you swim?" "Yes, I can. / No, I can't."
« Sais-tu (savez-vous) nager ? » « Oui. / Non. »
"Does he love her?" "Yes, he does. / No, he doesn't."
« Est-ce qu'il l'aime ? » « Oui. / Non. »
"Are they going to get married?" "Yes, they are. / No, they aren't."
« Vont-ils se marier ? » « Oui. / Non. »

⚠ Attention ! On ne peut pas contracter l'auxiliaire dans les réponses courtes affirmatives (on ne peut pas dire : "Yes, they're", par exemple).

2) Les « Tags » interrogatifs ("question tags" en anglais)

Lorsque l'on veut obtenir la confirmation d'une information auprès de quelqu'un, on peut ajouter un "question tag" à la fin de sa phrase.

Ex. : She is working, isn't she?
Elle travaille, n'est-ce pas ? / hein ? / pas vrai ?

Le "question tag", de par sa forme, transforme la phrase en question mais, à la différence d'une « vraie » question, l'énonciateur est quasiment sûr de ce qu'il dit et attend une confirmation et non une « vraie » réponse.
La phrase produite à l'aide d'un "question tag" est entre l'affirmation et la question.

Un "question tag" se construit sur le **modèle** suivant (deux cas de figure) :

a) La phrase de départ est affirmative, le tag sera alors négatif

Phrase affirmative, + **auxiliaire** + **n't** + **pronom personnel sujet** ?

Ex. : She **has** got a new bike, **hasn't she?**
*Elle a un nouveau vélo, **non ? / hein ? / n'est-ce pas ?...***
He plays football, **doesn't* he?**
*Il joue au football, **hein ? / non ?...***
They went to Japan last year, **didn't* they?**
*Ils (Elles) sont allé(e)s au Japon l'année dernière, **n'est-ce pas ?***

* ⚠ **Attention** dans les phrases affirmatives au présent simple et au prétérit simple, l'auxiliaire n'est pas visible ; il faut donc faire appel aux auxiliaires "do, does et did".

b) La phrase de départ est négative, le tag sera alors positif

Phrase négative, + **auxiliaire** + **pronom personnel sujet** ?

Ex. : He **wasn't** watching TV yesterday at 9, **was he?**
*Il ne regardait pas la télévision hier à 9 heures, **si ? / hein ?...***
She **didn't** hear the news, **did she?**
*Elle n'a pas entendu les actualités, **hein ? / n'est-ce pas ?...***
He's never* smoked, **has he?**
*Il n'a jamais fumé, **n'est-ce pas ?***
* L'adverbe "never" (ne... jamais) est une négation dans une phrase.

Un "question tag" correspond en français à « *n'est-ce pas ?* », « *(c'est) pas vrai ?* », « *hein ?* », « *non ? / si ?* », selon le contexte et le niveau de langue.
L'usage des "question tags" est bien plus important en anglais qu'en français.

3) Les « tags » de surprise

Un « tag » peut aussi servir à marquer son **étonnement**, sa **surprise**. Dans ce cas, le « tag » correspond en français à des expressions telles que « *Ah bon ?* », « *Tiens ?* », « *Vraiment ?* ».

a) La phrase de départ est affirmative, le tag sera affirmatif aussi

Phrase affirmative	Tag positif
He's crazy about aikido.	Is he?
Il est passionné d'aikido.	*Vraiment ?*
He trains five times a week.	Does he?
Il s'entraîne cinq fois par semaine.	*Ah bon ?*

b) La phrase de départ est négative, le tag sera négatif aussi

Phrase négative	Tag négatif
He wasn't born in France.	Wasn't he?
Il n'est pas né en France.	*Vraiment ?*
He hasn't found the ideal woman yet.	Hasn't he?
Il n'a pas encore trouvé la femme idéale.	*Tiens ?*

4) Les « tags » de conformité (dans les constructions avec "so / too" et "neither / either")

Pour exprimer un **accord** ou une **identité de goût, d'état, d'action**, l'anglais a encore recours à des phrases réduites, à des « tags », que l'on appelle souvent « **tags de conformité** » (ex. : *moi aussi, moi non plus...*).

a) La phrase de départ est affirmative

Phrase de départ affirmative	Construction avec "so" ou avec "too"	
She has got a car.	So has John.	John has too.
Elle a une voiture.	*John aussi*	
Sue is on holiday in Brighton	So are Alice and Sally.	A. and Sally are too.
Sue est en vacances à Brighton.	*Alice et Sally aussi.*	
I can drive.	So can Paul.	Paul can too.
Je sais conduire.	*Paul aussi.*	
He likes tea*.	So do I.	I do too.
Il aime le thé.	*Moi aussi.*	
They loved the film*.	So did we.	We did too.
Ils (Elles) ont aimé le film.	*Nous aussi.*	

* Dans les phrases affirmatives au présent simple et prétérit simple,

l'auxiliaire n'apparaît pas, il faut donc faire appel aux auxiliaires "do, does, did".

b) La phrase de départ est négative

Phrase de départ négative	Construction avec "neither" ou avec "either"	
She hasn't got a car.	Neither has John.	John hasn't either.
Elle n'a pas de voiture.	*John non plus.*	
Sue isn't on holiday in Brighton.	Neither are Alice and Sally.	A. and S. aren't either.
Sue n'est pas en vacances à Brighton.	*Alice et Sally non plus.*	
I can't drive.	Neither can Paul.	Paul can't either.
Je ne sais pas conduire.	*Paul non plus.*	
He doesn't like tea.	Neither do I.	I don't either.
Il n'aime pas le thé.	*Moi non plus.*	
They didn't like the film.	Neither did we.	We didn't either.
Ils (Elles) n'ont pas aimé le film.	*Nous non plus.*	

5) Les « tags » de non-conformité

Certaines reprises par auxiliaire servent à exprimer un désaccord ou une différence de goût, d'action, d'état. On appelle souvent ces reprises par auxiliaire des « tags de non-conformité » (ex. : *moi si, moi non, elle si, elle non...*).

a) La phrase de départ est affirmative

Phrase affirmative	Tag négatif
John is working.	Bill isn't.
John est en train de travailler.	*Bill non. / Mais Bill non.*
His parents have got a big car.	Mine haven't.
Ses parents ont une grosse voiture.	*Les miens non.*
He speaks Portuguese.	I don't.
Il parle portugais.	*Moi non.*
They stayed at home.	We didn't.
Ils (Elles) sont resté(e)s à la maison.	*Nous non.*

b) La phrase de départ est négative

Phrase négative	Tag positif
John isn't working.	Bill is.
John n'est pas en train de travailler.	*Bill si. / Mais Bill si.*
His parents haven't got a big car.	Mine have.
Ses parents n'ont pas de grosse voiture.	*Les miens si.*
I don't speak Portuguese.	He does.
Je ne parle pas portugais.	*Lui si.*
They didn't stay at home.	We did.
Ils (Elles) ne sont pas resté(e)s à la maison.	*Nous si.*

Dans toutes ces constructions avec reprise de l'auxiliaire, n'oubliez pas d'accorder, dans la reprise, l'auxiliaire avec le sujet.

XVI. TRANSFORMATIONS DE LA PHRASE AU STYLE INDIRECT

Le style direct permet de rapporter directement les paroles de quelqu'un entre guillemets. Les paroles de celui qui parle sont exactement reproduites.

Ex. : "I won't come," he said. *« Je ne viendrai pas », dit-il.*

- Le style indirect permet de rapporter indirectement les paroles de quelqu'un.
  Les guillemets disparaissent au style indirect et la phrase commence donc par un verbe du type : "say" *(« dire »)*, "tell" *(« dire »)*, "answer" *(« répondre »)*, "ask" *(« demander »)*...

Style direct :	"I'm hungry," said Sally.	"I won't come," he said.
	« J'ai faim », dit Sally.	*« Je ne viendrai pas », dit-il.*
Style indirect :	Sally said she was hungry.	He said he wouldn't come.
	Sally dit qu'elle avait faim.	*Il dit qu'il ne viendrait pas.*

1) Transformations au style indirect

Le fait de rapporter des paroles au style indirect entraîne une série de transformations qui concernent les formes verbales, les pronoms, les repères de lieu et de temps.

a) Modification des formes verbales

Tout d'abord, au discours indirect, il faut faire concorder le temps du verbe de la proposition principale (say, tell, answer...) avec le temps du verbe de la proposition subordonnée (propos rapportés).

Discours direct :
"I'm happy," he says. *« Je suis heureux », dit-il.* (présent)

Discours indirect :
He says he is happy. (Les deux verbes sont au présent, ils concordent.)
Il dit qu'il est heureux.

Discours direct :
"I'm happy," he said. *« Je suis heureux », dit-il.* (passé simple)

XVI. Transformations de la phrase au style indirect

Discours indirect :

He said he was happy. (Les deux verbes sont au prétérit, ils concordent)
Il a dit qu'il était heureux.

Si le verbe de la principale (say, tell...) est au passé, le verbe de la subordonnée doit l'être aussi pour que les deux verbes concordent.

Pour connaître le temps du verbe de la subordonnée au discours indirect, il faut savoir qu'il faut, à chaque fois, ajouter une marque du passé à ce verbe selon le tableau suivant :

Style direct	**Style indirect**
présent simple	prétérit
am	was
is	was
are	were
was / were	had been
has / have	had
will	would
can	could
must	must*
shall	should

* must, n'ayant pas de passé, ne change pas.

Ex. :

Style direct	**Style indirect**
"I love you," she said	She said she loved him
présent simple	prétérit
« Je t'aime », dit-elle	*Elle a dit qu'elle l'aimait.*
"I am tired," she said.	She said she was tired.
« Je suis fatiguée », dit-elle.	*Elle a dit qu'elle était fatiguée.*
"I was busy," she said	She said she had been busy.
« J'étais occupée », dit-elle.	*Elle a dit qu'elle avait été occupée.*
"I will come," she said	She said she would come.
« Je viendrai », dit-elle.	*Elle a dit qu'elle viendrait.*

XVI. Transformations de la phrase au style indirect

Remarque :
Il arrive que l'on maintienne le prétérit dans le passage du discours direct au discours indirect (au lieu de le remplacer par du past perfect) :
– lorsque l'énoncé décrit une habitude :
Ex. : "He never **saw** her in those **days**," he said.
« Il ne la voyait jamais à cette époque », dit-il.
He said that he never **saw** her in **those days**.
Il a dit qu'il ne la voyait jamais à cette époque.

– avec les verbes d'état (être, *sembler, devenir...*) et dans les subordonnées en "when" :
Ex. : "It **was** too late **when** she **got** there," said John.
« Il était trop tard quand elle arriva », dit John.
John said that it **was** too late **when** she **got** there.
John a dit qu'il était trop tard quand elle arriva.

b) Modification des pronoms personnels et réfléchis et des adjectifs et pronoms possessifs

	Style direct	Style indirect
Pronoms personnels	I	he ou she
	you	I ou we
	we	they
Pronoms réfléchis	myself	himself ou herself
	yourself	myself
	yourselves	ourselves
	ourselves	themselves
Adjectifs possessifs	my	his ou her
	your	my ou our
	our	their
Pronoms possessifs	mine	his ou hers
	yours	mine ou ours
	ours	theirs

Ex. : "We are repairing **our** car **ourselves**," they said.
« Nous réparons notre voiture nous-mêmes », dirent-ils (elles).
They said that **they** were repairing **their** car **themselves**.
Ils (Elles) dirent qu'ils (elles) réparaient leur voiture eux-mêmes (elles-mêmes).

He said, "If I were **you**, I would go and ask the policeman."
Il a dit : « À ta (votre) place, j'irais demander à l'agent de police. »
He said that if he were **me**, he would go and ask the policeman.
Il a dit qu'à ma place il irait demander à l'agent de police.

c) Modification des repères de lieu et de temps (les plus courants)

Style direct	Style indirect
This *Ce, cet(te), ceci*	that *ce, cet(te), cela*
These *Ces, cettes, ceux-ci, celles-ci*	those *ces, cettes, ceux-là, celles-là*
Here *Ici*	there *là*
Today *Aujourd'hui*	that day *ce jour-là*
Tomorrow *Demain*	the next day, the following day, the day after *le lendemain, le jour suivant, le jour d'après*
The day after tomorrow *Après-demain*	two days later *deux jours plus tard, le surlendemain*
Next Tuesday, next week... *Mardi prochain, la semaine prochaine...*	the following Tuesday / week... *le mardi suivant, la semaine suivante...*
Yesterday *Hier*	the day before, the previous day *la veille, le jour précédent*
Yesterday night *Hier soir, la nuit dernière, cette nuit...*	the night before, the previous night... *la nuit d'avant, la nuit précédente...*
The day before yesterday *Avant-hier*	two days before *l'avant-veille, deux jours avant*
Last week, month... *La semaine dernière, le mois dernier...*	the week before, the month before.../ the previous week, the previous month... *la semaine précédente, le mois précédent...*
A year ago *Il y a un an*	a year before *un an auparavant*

Ex. : "I finished **yesterday**," he said.
« J'ai fini hier », dit-il.

He said that he had finished **the day before**.
Il dit qu'il avait fini la veille.

2) Verbes introducteurs du style indirect

Les verbes (les plus courants) qui servent à introduire du discours indirect :

- To say / To tell : *dire que*

  Ces deux verbes sont souvent suivis, au discours indirect, d'une proposition en "that", mais cette conjonction est souvent omise aussi.

  Ex. : "She's too young." *« Elle est trop jeune. »*
  They **say** (that) she's too young.
  Ils (Elles) disent qu'elle est trop jeune.
  "It's really too late." *« Il est vraiment trop tard. »*
  They **told me** (that) it was too late.
  Ils (Elles) m'ont dit qu'il était trop tard.

Remarque : "tell", contrairement à "say", est obligatoirement suivi d'un complément ("me", dans l'exemple ci-dessus).

- To order / To tell : *ordonner (à qn de...), donner l'ordre (à qn de...)*

  Ex. : He said, "Stand up!" *Il a dit : « Lève toi ! »*
  He **ordered** me to stand up. *Il m'a donné l'ordre de me lever.*
  He **told** me to stand up.

- To ask : *demander*
- To wonder : *se demander*

  Ex. : "Where is your mother?"
  « Où est ta / votre mère ? »
  She **asked** me where my mother was.
  Elle m'a demandé où était ma mère.
  "Is my mother in?"
  « Est-ce que ma mère est là ? »
  I **wondered** whether (or if) my mother was in.
  Je me suis demandé si ma mère était là.

- To advise : *conseiller*

  Ex. : "Why don't you try the red one?"
  « Pourquoi n'essaies-tu pas le rouge ? »
  He **advised** her (or him) to try the red one.
  Il lui a conseillé d'essayer le rouge.

- To blame for : *condamner, blâmer, réprimander*
- To reproach for : *reprocher*

  Ex. : "Why did you deceive me?" he said.
  « Pourquoi m'as-tu trompé ? » dit-il.

He **blamed** her for deceiving him.
Il la condamna pour l'avoir trompé.
He **reproached** her for deceiving him.
Il lui reprocha de l'avoir trompé.

• To **apologize for** : *s'excuser*
Ex. : "I'm afraid I won't come," he said.
« Je pense que je ne viendrai pas », dit-il en s'excusant.
He **apologized** for not coming.
Il s'excusa de ne pas venir.

• To **offer** : *offrir de, proposer de*
Ex. : "Shall I close the window?" he said.
« Voulez-vous (Veux-tu) que je ferme la fenêtre ? » dit-il.
He **offered** to close the window.
Il proposa de fermer la fenêtre.

• To **suggest** : *suggérer, proposer*
Ex. : He said, "How about to go to the cinema?"
Il a dit : « Et si on allait au cinéma ? »
He **suggested** to go to the cinema.
Il suggéra d'aller au cinéma.

3) L'INTERROGATION AU STYLE INDIRECT

L'énonciateur utilise le verbe "to ask" (« *demander* ») :

a) Suivi de "if / whether" s'il s'agit d'une "Yes / No question" (dite « question ouverte » : cf. p. 62)
Ex. : "Are you working, Tom?" asks Lucy.
« Est-ce que tu travailles (vous travaillez), Tom ? » demande Lucy.
Lucy **asks** Tom if (or whether) he is working.
Lucy demande à Tom s'il travaille.

b) Suivi d'un pronom interrogatif en "wh" s'il s'agit d'une "wh-question" (dite « question fermée » : cf. p. 63-65)
Ex. : "Where do you work ?" she asks.
« Où travailles-tu ? » demande-t-elle.
She **asks** him **where** he works.
Elle lui demande où il travaille.

"Where do you think they are?" he asked.
« Où penses-tu (pensez-vous) qu'ils (elles) soient ? » demanda-t-il.
He **asked** me **where** I thought they were.
Il me demanda où je pensais qu'ils (elles) étaient.

⚠ Attention, l'ordre des mots dans une question indirecte est celui de l'affirmation, et non celui de l'interrogation.
Ex. : "When is my father arriving?" wondered Jack.
« Quand mon père arrive-t-il ? » se demanda Jack.
Jack wondered **when his father was arriving**. (... wh- + sujet + verbe...)
Jack se demanda quand arrivait son père.

XVII. LES PROPOSITIONS SUBORDONNÉES

1) La proposition subordonnée relative

Une proposition relative est introduite par un pronom relatif (ex. : who, which, that, etc.). Se reporter au chapitre IV, p. 32-36, entièrement consacré aux pronoms relatifs.

Ex. : The girl **who is crossing the street** is my best friend.
La fille qui traverse la rue est ma meilleure amie.

2) La proposition subordonnée infinitive*

Ce que l'on appelle en grammaire anglaise la proposition infinitive n'a pas d'équivalent en grammaire française. Seul un nombre restreint de verbes anglais admettent la proposition infinitive mais ces verbes sont très courants (ex. : to want / *vouloir* ; to ask / *demander* ; to expect / *s'attendre à* ; to tell / *dire* ; to advise / *conseiller*, etc.).

Ex. : Sandra **wants me to help her.** *Sandra veut que je l'aide.*

⚠ Attention ! Ne pas confondre la proposition infinitive avec la construction utilisée avec les verbes to make et to let, dans laquelle "to" n'apparaît pas.

Ex. : He **made me wash** his car. *Il m'a fait laver sa voiture.*

3) La proposition subordonnée complétive

La proposition subordonnée complétive complète le verbe de la principale. Elle peut être introduite par la conjonction **that** mais cette conjonction est souvent omise.

Ex. : They said **(that) he was in danger.**
Ils / Elles ont dit qu'il était en danger.

---

* Ce chapitre est largement développé dans *La Conjugaison anglaise*, du même auteur (Librio n° 558).

4) Les propositions subordonnées circonstancielles

Ces propositions sont introduites par des conjonctions de :
- temps : when / *quand*, while / *pendant que*, as / *tandis que*, until / *jusqu'à ce que*, after / *après que*
- lieu : where / *où*
- cause : because / *parce que*, since / *puisque*, as / *comme*
- manière : as / *comme*
- contraste : whereas / *tandis que*, though / although / *alors que*
- condition : if / *si*, unless / *sauf si*, provided (that) / *à condition que*
- conséquence : so that / *si bien que*, so / *donc*
- opposition : but / *mais*, yet / *pourtant*
- but : to / in order to / *pour*, so that / *de façon que*

Ex. : She seemed really surprised when I told her the truth. (proposition circonstancielle de temps)
Elle a eu l'air vraiment surprise quand je lui ai dit la vérité.
He got early to / in order to be on time. (proposition circonstancielle de but)
Il s'est levé tôt pour être à l'heure.

Librio

601

Composition PCA – 44400 Rezé
Achevé d'imprimer en Allemagne par GGP
en août 2006 pour le compte de E.J.L.
87, quai Panhard-et-Levassor, 75013 Paris
1er dépôt légal dans la collection : juillet 2003

Diffusion France et étranger : Flammarion